美学のプラクティス

美学のプラクティス

星野 太

Practicing Aesthetics

Futoshi Hoshino

水声社

目次

第Ⅲ部　生命

序論　美学、この不純なる領域

美学とは何か。

本書は、このいささか大仰な問いに対して、原理的ではないしかたでの応答を試みるものである。原理的ではないしかたでというのは、美学とは何かという定義を問うのでも、美学とは何であったかという歴史を問うのでもなく、美学がいかなる実践（プラクティス）であるのか——という、そのひとつのケース——を、わたしがこれまで公にしてきた複数のテクストを束ねるかたちで示すということである。

美学とは何か。そのもっとも簡潔な定義は、「美」「芸術」「感性」を対象とする哲学の一分野である、というものだろう[1]。わたしもまた、ごく一般的な問いとして「美学とは何か」と問われたなら、まっさきにこの定義を挙げることを常としている。とはいえ、これは美学の最小の定義になってはいるものの、そこにいまだ不十分なところが残されることもたしかである。

美学の対象がもっぱら「美」「芸術」「感性」の三つとされている直接的な理由は、この学問分野の命名者であるA・G・バウムガルテン（一七一四―一七六二）と、おもにヨーロッパにおけるその後の伝統に由来する[2]。むろん、それから約三世紀が過ぎた今日にいたるまで、この学問分野は時代や地域によってすくなからぬ変遷をこうむってきた。それにもかかわらず、美学がこの——大いに次元を異にする——三つの対象をもつということは、ほとんど疑われることがなかったように思われる。すなわち美学とは、（1）観念的ないし具体的なものとしての「美」を、（2）人間によるさまざまな制作物のうち、もっとも際立ったものとされる「芸術」を、（3）さらには美や芸術にとどまらず、われわれの認識一般に不可欠な「感性」を哲学的に問う学問分野である、というのが――専門家・非専門家を問わず――今日にいたるまでの常識でありつづけている。

　こうした定義に異論があるわけではない。ただし、ここにはいくつか考えるべき事柄が含まれているように思われる。

　まず、これはあらゆる哲学的思索に言えることだが、こうした営みには「具体的事象」と「抽象的思弁」とのあいだの往復が欠かせない。哲学の一分野に属する美学もまた、観念的な美と具体的な美のあいだで、あるいは「芸術とは何か」をめぐる分析的な考察と、そこにかならずしも回収されない特殊な現実とのあいだで、たえずおのれを宙吊りにしながら思索を続けることを常態としている。しかし、なまじ「美」や「芸術」という領域に関わっているためか、こと美学にかんしては、そのような往復運動そのものにたえず懐疑的な視線が注がれてきたことも事実である。

　この話題においてしばしば引かれる、カントの言葉を見ておこう。

> 美しいものについての学問はなく、あるのはただ批判だけである。また、美しい学問というものも

なく、あるのはただ芸術だけである〔Es gibt weder eine Wissenschaft des Schönen, sondern nur Kritik, noch schöne Wissenschaft, sondern nur schöne Kunst〕。〔3〕

美学の最大の古典である『判断力批判』(一七九〇)に、こうしたパラドクスが見られることはつとに知られる通りである。つまり、カントにとって「美しいもの」は一回かぎりの「批判」の対象にほかならず、それは客観的な証明根拠を必要とする「学問」の対象にはなりえない。同じく、学問一般があくまで証明根拠を求めるものであることに鑑みるなら、「美しい学問」——表層的に考えるなら、洒落た言葉づかいに終始するだけの学問——というのは、おのれの性格に根本から抵触するものだろう。

美学は、そもそものはじめから、このカントの呪縛のもとにあった。すなわち一八世紀以来、ひとつの学問分野(ディシプリン)としての美学に携わるものは、「美しいものについての学問」でも「美しい学問」でもないかたちで、いかにそれを成立させるかという課題に取り組んできたと言ってよい。というより、カントに忠実であろうとなかろうと、およそこうした葛藤なしに美学という営為が可能であるとは——すくなくともわたしには——思われない。

それゆえにと言うべきか、美学はほとんど必然的なしかたで、本来ならばフィールドを異にする美術批評と交わることにもなった。そのような交差は、美しいものについての「学問」ではなく、あくまでその「批判」であろうとしたという意味では、カントの言葉に忠実であったと言ってよい。しかし、それも大抵は冷ややかな視線にさらされるのみであった。かのポール・ヴァレリーによる「美学についての演説」(一九三七)は、それが美学・芸術学国際会議の講壇から発せられたというインパクトにこそ目をみはるべきではあるが、そこで吐露されているような「美学」への不信感は、さほど珍しいものでもない。

わたしは次のように考える——。

およそ説明しがたい、ある快の形式というものが存在する。境界を定められることもなく、それを生み出した感覚器官にも、感性の領域にすらも閉じ込められることなく、人、場合、時代、文化、年齢、環境によってその本性、契機、強さ、重み、結果を異にし、社会全体に不規則に散らばった個人をさまざまな行動へとおもむかせるような、快の形式というものが。その行動は、普遍的に妥当する原因などもたず、いくつもの不確実な目的にしたがっている。そして、これらの行動はさまざまなものを生み出すが、それらの使用価値と交換価値は、それが何であるかにはほとんど左右されることがない。そして、最後の否定として次のことがある。この快および生産物を定義し、整理し、規制し、測定し、安定させるための、あるいはそれを確実なものとするためのあらゆる労苦は、これまでのところ無駄であり、まったく得るところがなかった。しかし、この領域ではいかなるものも境界を定めることができないので、それらの労苦も完全に無駄であったとは言えず、それらの失敗も、時として奇妙に創造的であったり、生産的であることをやめな

かった……。〔4〕

この詩人ならではの洗練された言いかたではあるが、ここに見られるのは、「美学」という営みへの根本的な異議申し立てである。聴衆に気を遣ってか、この直後でヴァレリーは、美学そのものが「否定の体系」であると言いたいわけではない、といったん言葉を継いではいる。だが、この人物はふたたびそれをくつがえすかのように、こうした指摘にも「一抹の真理がある」とすかさず追い打ちをかけることを忘れない。その本音がどこにあったのか、いまとなっては詮索の必要すらないだろう。われわれは、ヴァレリーが『カイエ』において、色あせた一室で美について語る「醜い美学者」への揶揄を書きつけていたことを知っている〔5〕。ヴァレリーにとって、美はあくまで「説明しがたいもの」であり、それを捕まえようとする美学なる営みに、この詩人はついに冷淡な姿勢を崩すことはなかった。

とはいえ真の問題は、こうした疑念がひとりヴァレリーのものではなく、時代や地域を問わずそれなりにひろく見られるものであることだ。では、こうした美学における「居心地の悪さ」は、いったいどのようなところに起因するのか。そして、こうしたステレオタイプに抗する方法として、いったいどのような戦略が考えられるのか。本論への予備的な考察として、ここから先ではしばしこの問題について考えてみたい。

政治と美学

政治哲学者のジャック・ランシエール（一九四〇―）は、『美学における居心地の悪さ』（二〇〇四）において、美学を政治学や倫理学といったほかの領域と関連づけながら論じている。この挑発的なタイトルをもった書物の目的はしかし、美学という学問領域を擁護することでも、それに対する違和感を表明することでもなく、「この〔美学という〕言葉の意味を明らかにすること」であるとランシエールは言う。どういうことか。

まず、同書のなかでもとりわけ目をひくのは、現代の反美学的な言説、すなわち美学における居心地の悪さ（マレーズ）が、実のところきわめて古い歴史をもっているという指摘である。じっさいそこでランシエールは、美学に対する批判のヴァリエーションをいくつか列挙したうえで、本来ならば立場を異にするさまざまな論者が、みな足並みを揃えて「美学」を批判するさまを示してみせる。

簡単に要約するとこういうことである。たとえばある人々は、美学にありがちな抽象的な思弁を避け、ただ虚心坦懐に芸術作品にむきあうべきであると言う。かたやほかの人々は、多種多様な現われをもつ個々の作品に惑わされることなく、むしろ絶対的な理念としての「美」や「芸術」の探求に専心すべきであると言う〔6〕。これら二つの立場はまったく異なるものではあるが、なるほどランシエールが言うように、それらは「理念的な美」と「現実的な作品」にまたがる美学の「混乱状態（confusion）」を批判するところにおいて共通している。

あらためて確認しておくと、そもそも美学には「美」「芸術」「感性」というまったく異なるレベルの問題が並立していたのだった。ランシエールに言わせると、こうした異なる対象領域をもつことそれ自体が、美と芸術、あるいは思想と実践との「ロマン主義的な混同」にほかならない[7]。とはいえ、そもそも美学が「理念的な美」と「現実的な作品」にまたがった「不純なもの」であるのなら、美学に対するこうした批判は構造的に不可避である。

こうした洞察をもとにランシエールが打ち出すのは、美学とは一八世紀に成立した学問領域ではないという大胆なテーゼである。つまり美学とは、こんにち「芸術」とよばれているものを見いだした体制（レジーム）の名称なのであり、一八世紀のドイツにおいて起こったのは「美学の誕生」ではなく、「芸術にまつわる体制の変革」、すなわち「詩学（poétique）」から「美学（esthétique）」への体制変革であったという。そして、すでに指摘したような美学の「混乱状態」は、むしろこの「体制変革」を可能にするために不可欠なものであった、というのがランシエールの——いささかアクロバティックな——議論の行きつくところである。

この議論のポイントはどこにあるのか。それは、美学が「不純な」領域であることをいったん引き受けたうえで、それがもつ政治的な批判力を最大限に高く見積もることにある。つまるところ、ここでランシエールが言っているのは、「美」「芸術」「感性」をめぐって異なるレベルの議論が錯綜するところにこそ、美学の最大のポテンシャルがある、ということにほとんど等しい。

この先の詳細は本論(第六章)に譲るが、もともとランシエールによる美学への接近は、政治一般における「感性的なもの」への関心と不可分であった。げんにランシエールは、この「感性的なもの」という概念をキーワードとして用いながら、古代ギリシアのポリスにおける政治の核心が「感性的なもの」の「再分配」にあったということを繰り返し論じてきたのだった。そこで「政治の土台」として見いだされることになるのは、大衆社会において到来した「政治の美学化」よりもはるかに古い美学(エステティクス)の姿である[8]。

かくして、美学は政治——あるいは「超政治」——の問題となる。それは、ハンナ・アーレントによる『カント政治哲学講義録』以来の伝統をもつ「政治と美学」、あるいは「政治としての美学」のラディカルなかたちである[9]。

こうした議論は、伝統的に知性的認識よりも下位におかれてきた、われわれの感性的認識にあらためて光を当てることにもつながるだろう。より身近な話題で言えば、美学の対象のなかでもとくに「感性」のありように着目するこうしたアプローチは、われわれの理性ではなく情動に訴えかける昨今のメディア・テクノロジーの批判的考察とも、きわめて大きな親和性を有するはずである。

倫理と美学

以上のように、政治の土台としての――あるいはそれ以外の目的に奉仕するものとしての――感性の領域に目をむける試みは、すでに一定の広がりをみせている。とはいえその場合、議論はわれわれが日々はたらかせている認知一般の問題にまで広がっていくことになり、そこではむしろ脳科学や認知科学が大きな役割を担うことにもなるだろう。「神経美学（neuroaesthetics）」なる実験美学の領域が開拓されてすでに久しいが、これら経験科学の参入を前に、従来の伝統的な美学が果たしうる仕事はむしろ大いに限られてくるように思われる。

従来の美学をいわゆる「感性論」にのみ還元することは、その意味で問題がないわけではない。ここでふたたび芸術の問題に戻ると、そこではここ数十年のあいだに目立ちはじめた、ひとつの社会的な現象――「倫理的転回」――を指摘できる。ここでもまずはランシエールの議論を導きとしよう。

『美学における居心地の悪さ』の末尾に収められた「美学と政治の倫理的転回」は、美学や政治を「倫理（éthique）」の問題に還元してしまう「神学的な」傾きに異議を唱えている。いささか古い出来事にはなるが、これをもっともよく象徴するのが、クロード・ランズマンの映画『ショア』をめぐる一連の議論である。

おもにジャーナリストとして知られ、サルトルやボーヴォワールとも親しかったクロード・ランズマン（一九二五―二〇一八）が、映画『ショア』を世に問うたのは一九八五年のことである。『ショア』は、ナチスの強制収容所を生き延びた人々への長いインタビュー映像からなり、たとえばアラン・レネ『夜と霧』（一九五六）で採られたような記録映像のたぐいはいっさい用いられていない。そこに映し出されるのは、ホロコーストという限界状況を生き延びた人々の、明晰さも整然さも欠いた、ほとんど語りにならない語りのみである。

そのような方針は、この映画の制作者によってごく意識的に選びとられたものである。ランズマンは、アウシュヴィッツをはじめとする強制収容所の「現在」――すなわち一九七〇年代から八〇年代――の様子を収めることはさして問題としない。映画のなかで言葉にならない言葉を発している人々も、つねに現在の姿でカメラの前にいる。しかしそこで、過去に撮影された収容所のイメージや、同じく過去の生存者の証言にもとづいた再現映像などが用いられることは、始めから終わりまで徹底して避けられている。

ランズマンの『ショア』やそれに関連する発言をめぐっては、すくなくとも過去に二回、大きな論争が起こっている。その一度目は、この映画が公開された八年後の一九九三年に、スティーヴン・スピルバーグが監督した『シンドラーのリスト』が公開されたとき、そして二度目は、二〇〇一年にフランスで「収容所の記憶」という、この出来事をテーマとした展覧会が催されたときである。

それぞれの論争について詳述する余裕はないので、ここでは本論に深く関係する前者のみを取りあげることにしよう[10]。ランズマンという人物は、『ショア』という映画そのものを脇において言えば、終始アウシュヴィッツの「表象不可能性」という問題にとりつかれた人であった。一九七八年にアメリカで放映され大ヒットし、「ホロコースト」という呼称を定着させたドラマ『ホロコースト』はもちろんのこと、スピルバーグの『シンドラーのリスト』のようなけっして不出来でない映画も含めて、ランズマンはホロコーストの表象というものをいっさいみとめることがなかった。それはもはや思想と言えるようなものではなく、フィクションによってはけっしてホロコーストの現実に接近することはできないという「信仰」の一形態であった——おそらくそのように言うべきだろう。

わたしはスティーヴン・スピルバーグを評価している。〔……〕かれの映画は名人芸だ。すくなくともかれは、自分の仕事が何であるかを知っている。ところで、その企画がいかなる経緯で生まれたのかは知らないが、この企画を知ったときわたしは思った。スピルバーグは、自分があるジレンマに直面していることに気づくだろう、と。かれは、ホロコーストが何であったかを言うことなしに、シンドラーの物語を語ることはできない。かれは、一三〇〇人のユダヤ人を救ったドイツ人の物語を語りながら、ホロコーストが何であったかをどうして言うことができるだろう——なにしろ、圧倒的多数のユダヤ人は救われなかったのだから。〔11〕

さきほど「信仰」という言葉を使ったのは、このような書き出しをもつ一節に続けて、ランズマン本人が次のように告白しているからである。決定的な一節なので、長めに引用する。

わたしは、自分が言っていることをなんらかのしかたで根拠づけることができない。分かってもらえるか、もらえないかのどちらかである。〔……〕ホロコーストがユニークなのは、何よりも次の点においてである。すなわち、ある絶対的な恐怖が伝達不可能であるかぎりにおいて、それはおのれの周囲に踏み越すことのできない限界を炎の輪のようにつくり出すのだ。この限界を踏み越えようとすることは、もっとも深刻な侵犯行為を犯すことにほかならない。フィクションとは侵犯行為である。表象〔représentation〕には禁じられたものが存在すると、わたしは心の底から思っている。『シンドラーのリスト』を見ながら、わたしはかつてテレビドラマ『ホロコースト』を見て感じたことを思い出した。侵犯することと、陳腐なものにすること、ここではそれらは同じことなのだ。ハリウッド流のテレビドラマや映画は、ホロコーストのユニークな性格を「陳腐なものにし」、それを廃棄してしまう。ゆえにそれは、侵犯行為を犯しているのである。〔12〕

ホロコーストの「表象不可能性」を謳うランズマンの言い分は、かれが右のようなしかたで『シンドラーのリスト』を批判するかぎりでは、それなりの賛同を集めていたようである。ちなみに「アウシュヴィッツ以後、詩を書くことは野蛮である」というアドルノの言葉に同調する心性も、ひろくはこれに類するものであるにちがいない。

しかし、二〇〇一年の「収容所の記憶」展をめぐって生じたもうひとつの論争のなかで、ランズマンが収容所内で撮影された四枚の——むろん本物の——写真に対してすら拒絶反応を示すとき、その思想はおのれの狂信的な側面をあらわにしていくだろう[13]。端的に言えば、ランズマンはホロコーストの表象「不可能性」をめぐる信念を、ホロコーストをめぐる表象の「禁止」へとすり替えているにすぎない。「[ランズマンの]表象不可能なもの、という理念においては、実のところ不可能性と禁止という二つの観念が混同されている」[14]——ランシエールはランズマンをそのように批判したわけだが、ある意味でこれほどまっとうな指摘もない。繰り返すが、むろんそれは『ショア』という映画がなしえた達成をどのように評価するか、という問題とはべつの事柄である。

ここでランシエールが語っているのは、きわめて常識的なことである。すなわち、芸術作品において「表象不可能なもの」など存在しない。すべてはなんらかのしかたで「表象可能」である。ゆえに、ランズマンの主張を支えているのは、何を「表象不可能なもの」とみなし、何の表象を禁じるのか、という倫理的な姿勢にほかならない。表題の「倫理的転回」とは「事実」と「権利」のこうした混同をさすものにほかならず、ランシエールの批判の矛先は、こうした倫理的な「禁止」を安易に「不可能性」と同一視する「純粋性の幻想」[15]へとむけられる。そしてこのテクストは、政治や美学における「曖昧で不安定な」性格を確保しておくことこそが、この「表象不可能性の神学」への抵抗たりうるだろう、という示唆とともに締めくくられる。

ここまでの議論からは、「純粋性」へとむかう倫理的な傾きを批判し、美学や政治における「曖昧さ」や「不純さ」をあくまでも確保しようとするランシエールの立場を見て取ることができる。とはいえ、こうした図式においては、「美学」「政治」「倫理」というそれぞれの領域が、いささか素朴なしかたで画定されているという印象もまたぬぐえない。ここでランシエールは、美学や政治を倫理に収斂させる昨今の風潮を批判しているが、そうしたランシエールの立場もまた、美学および政治を倫理から隔てておこうとする、ひとつの規範的な立場を示しているのではないか。そのような意味で、美学を「擁護する」ことがおのれの目的ではないという意思表示に反して、ランシエールはすくなくともここで、「美学＝政治」の不純さにおいてそれを擁護する、というひとつの「倫理的立場」を表明していると言えるだろう。

＊

本書に収められた文章は、これらの問題意識のもと、二〇一〇年から二〇一九年までの一〇年間に書き継がれてきたものである（さらにさかのぼると、この序論の中核部分は、もともと二〇〇六年に公にした短文を下敷きにしている）。したがって繰り返すように、本書は「美学」について、何かお決まりの内容を伝えることを目的とはしてない。本書は、その時々の求めに応じて書かれた九本のテクストを通じて示される、ひとつの実践（プラクティス）の記録である。

ここに収録された九本のテクストは、テーマごとに「崇高」「関係」「生命」の三部（各三章）に分かれる。各部の導入には、展覧会カタログなどに寄せた比較的短い文章を選び、そのあとにやや長めの論文が続くという構成にした。各章は相互に独立した内容になっているが、部内の議論は緊密に関連しているため、基本的には順番に読んでいくことを勧める。

第Ⅰ部「崇高」では、美学の主要概念のひとつである「崇高」についてのテクストを集めた。各章のテーマは「カタストロフ」「戦後アメリカ美術」「巨大数」と一見ばらばらだが、これらは大まかに「美」「芸術」「感性」という美学の三大トピックに対応している。そのため本書の導入としても、さまざまな入口をもつ「美学」そのものの広がりを一望するうえでも、おそらくここから読んでいただくのが最適であるように思われる。

第Ⅱ部「関係」では、ここ二〇年のあいだに一挙に広まったリレーショナル・アートやソーシャリー・エンゲイジド・アートにかかわる理論的なテクストを集めた。これらは、個々の具体的な作家・作品にフォーカスするというよりも、どちらかといえば、そこで踏まえられるべき理論や事実の整理に専念したものである。いま目の前で起こりつつある現象に対して美学が果たしうることのひとつは、その現象を認識するためのフレームを提供することであろう。ここに収められたテクストは、そのような動機から、折々の機会に書き継いできたものである。

第Ⅲ部「生命」では、いささか特殊な含意をもった「生」の概念を対象としたテクストを集めた。ここでいう「生」とは、かならずしも有機的な「生命」のことではなく、無機的なものも含めた「エレメント」としての生のことである。大きくいえば、ここで共通して問われているのは、これまで美学の特権的な「主体」と考えられてきた人間を、今後どのように捉えなすことができるかという問題にほかならない。とはいえ、そこで到達すべき結論は——しばしば「思弁的美学」なる言いかたによって示唆されるような——人間を欠いた美学なるものがありうるということではない。それは、機械や環境のなかに深く埋め込まれた、新しい人間のありかたに呼応した美学を構想するということである。

1　佐々木健一『美学辞典』東京大学出版会、一九九五年、三頁、および小田部胤久『美学』東京大学出版会、二〇二〇年、三頁を参照のこと。ただし、もっぱら分析美学を主流とする英語圏の文献では、学問分野としての「美学（Aesthetics）」の説明は「趣味（taste）」と「美的なもの（aesthetic）」という二つの概念を軸とすることが一般的である。

2　ただし、バウムガルテンにおける「感性的認識の学（scientia cognitionis sensitiuae）」という「美学」の定義をもって、これを「美学＝感性学」と短絡することはできない。この問題については、井奥陽子『バウムガルテンの美学――図像と認識の修辞学』慶應義塾大学出版会、二〇二〇年、とりわけ第三章「〈感性的認識の学〉とは何か」（七一―九四頁）を参照のこと。

3　Immanuel Kant, *Kritik der Urteilskraft* (1790), § 44, V304.（イマヌエル・カント『判断力批判』熊野純彦訳、作品社、二〇一五年、二七五頁）

4　Paul Valéry, « Discours sur l'esthétique », in *Œuvres*, tome I, édition établie et annotée par Jean Hytier, Paris: Gallimard, 1957, pp. 1311-1312.（ポール・ヴァレリー「美学についての演説」佐藤正彰訳、『ヴァレリー全集』第五巻、筑摩書房、一九六七年、二七八頁）

5　Paul Valéry, *Cahiers*, tome II, édition établie, présentée et annotée par Judith Robinson, Paris: Gallimard, 1974, p. 963.（ポール・ヴァレリー「芸術と美学」三浦信孝訳、『ヴァレリー全集　カイエ篇』第八巻、筑摩書房、一九八二年、六五頁）

6　ここで、それぞれの立場を代表するものとして引き合いに出されているのは次の二書である。Jean-Marie Schaeffer, *Adieu à l'esthétique*, Paris: PUF, 2000; Alain Badiou, *Petit manuel d'inesthétique*, Paris: Seuil, 1998.（アラン・バディウ『思考する芸術――非美学への手引き』坂口周輔訳、水声社、二〇二一年）

7 Jacques Rancière, *Malaise dans l'esthétique*, Paris: Galilée, 2004, p. 11.

8 Jacques Rancière, *Le partage du sensible*, Paris: La fabrique, 2000, p. 13.（ジャック・ランシエール『感性的なもののパルタージュ――美学と政治』梶田裕訳、法政大学出版局、二〇一〇年、七頁）

9 Hannah Arendt, *Lectures on Kant's Political Philosophy* (1982), Chicago: University of Chicago Press, 1992.（ハンナ・アーレント『完訳　カント政治哲学講義録』仲正昌樹訳、明月堂書店、二〇〇九年）この「超政治（hyperpolitique）」という表現は、Peter Szendy, *Kant chez les extraterrestres. Philosofictions cosmopolitiques*, Paris: Minuit, 2011, p. 16による。

10 後者の顛末については、Georges Didi-Huberman, *Images malgré tout*, Paris: Minuit, 2004（ジョルジュ・ディディ=ユベルマン『イメージ、それでもなお――アウシュヴィッツからもぎ取られた四枚の写真』橋本一径訳、平凡社、二〇〇六年）に詳しい。

11 Claude Lanzmann, « Holocauste, la représentation impossible », *Le Monde*, 3 mars 1994.（クロード・ランズマン「ホロコースト、不可能な表象」高橋哲哉訳、高橋哲哉・鵜飼哲（編）『『ショアー』の衝撃』未來社、一九九五年、一一〇頁）

12 *Ibid.*（同前、一一二頁）

13 Georges Didi-Huberman, *Images malgré tout*, *op. cit.*（前掲書）を参照のこと。

14 Jacques Rancière, *Malaise dans l'esthétique*, *op. cit.*, p. 162.

15 *Ibid.*, p. 173.

第Ⅰ部　崇高

1　カタストロフと崇高

一七五五年、リスボン——この年の万聖節（一一月一日）の早朝、未曾有の大地震がヨーロッパを襲った。現在の単位ならばマグニチュード9とも言われるこの天災によって、リスボンの街はまたたく間に廃墟と化した。この地震と火災による死者は、当時の人口の三分の一に相当する九万人に達したとも言われている。

この自然災害は、時のヨーロッパの知識人のあいだにすくなからぬ衝撃をもたらした。有名なところでは、フランスの啓蒙思想家ヴォルテールによる『カンディード』という物語（コント）が挙げられる。同作では、この世界の最善を信じる主人公カンディードが、リスボンでの被災をはじめとするさまざまな悲劇に見舞われるなか、最終的にみずからの楽天主義——いわゆる「最善説」——を放棄するにいたるまでの過程が描かれる。それは、「神の完全性」と「現世の悪」は矛盾しないとする、ライプニッツの「神の存在証明」に対する痛烈なアンチテーゼでもあった［1］。

しかし、リスボン大地震がヨーロッパにもたらしたのは、そのような「神」に対する疑いばかりではなかった。その災害は、人智を超えた現象を前にしてわれわれが抱く、ある特異な感情を理論化するためのきっかけともなったのである。それこそ、一八世紀という「美学」誕生の世紀において決定的な役割を果たした「崇高(sublime)」という感情にほかならなかった。

崇高とは何か——この話題において例外なく参照されるカントの『判断力批判』(一七九〇)によれば、崇高とは、もっぱら美との対比によって理解される美的範疇のひとつである。カントによれば、美というものがわれわれにとって「積極的な快」であるのに対し、崇高はいわば「消極的な快」にすぎない。なぜ「消極的な」快であるかといえば、それは、この感情が快と苦を同時に含むものであるからだ。崇高とは、巨大な対象の力に魅せられながら、同時にそれにある種の反発(畏怖や嫌悪)を抱くという、両義的な感情にほかならない[2]。なお、同書では言及こそされないが、自然科学にも通じていたカントは、リスボンの震災後に三篇の地震論を書き残している。そのことから、崇高についての考察を練りあげるさいに、カントがこの天災を念頭においていたことは間違いないと言われている。

他方、カントとほぼ同世代の政治家にして理論家であるエドマンド・バークも、若かりしころに崇高についての書物を残したことで知られる。崇高をめぐるバークの書物——これは当時の読書人たちにも好評をもって迎えられた——は、カントのそれよりもわれわれの経験に訴えるところがあるため、おそらくこちらを読むほうが、そのイメージに具体的に迫ることができるかもしれない。その『崇高と美の観念の起源』(一七五七)はリスボン大地震の直後に公にされているため、ここでも震災への直接的な言及は見られない。だがバークはそこで、当時の「グランド・ツアー」という風習を通じて発見されつつあった雄大な自然などにも触れながら、いくつかの興味深い記述を残している。

バークの場合も、崇高はおもに美との対比において特徴づけられる。たとえば、美がもっぱら人間どうしの「社交」に結びつけられるのに対し、崇高は「自己保全」——すなわちわれわれの身体の安全——に結びつけられる。ここで重要なのは、そのような感情が自分自身の経験においてではなく、他者の経験の伝聞を通して獲得されうるものだということだ。つまり、われわれは実際の苦痛や危険に直面したときにではなく、それを想像によって思い浮かべるときに、バークが崇高とよぶものを感じとる。カントとは異なり、バークはそれが「消極的な快」であるとまでは言っていない。だが、そうした苦痛や危険から切り離されていることによる安堵感は、やはり積極的な「快(pleasure)」の名には値しないだろう。そのような快をなんとか名指そうとするバークは、同書でそれを「歓喜(delight)」とよぶことを提案している[3]。

じつは、これに近いことを、先に言及したカントも言っている。つまり、われわれが強大な自然を前にして抱く崇高な感情は、あらかじめ自分が安全な場処にいることを絶対的な条件としている、というのだ。これは、おそらくわれわれの直観にも合致するものだろう。もし、いまわれわれが目の前に迫りくる危険に巻き込まれつつあるとしたら、そこで崇高な感情に浸っている暇などない。これを昨今の言葉におきかえるなら、災害の光景を収めた写真や映像を通して得られる「崇高な」美しさは、あくまで身の安全を保証されている人間が安全な場処から抱く「不謹慎な」感情にほかならない、ということになるだろう。そのような観点から、カントとバークの崇高論では看過されているように見える、あるべつの感情の存在を指摘できるかもしれない。それは、言ってみれば、カタストロフに魅せられる「疚しさ」である。

われわれは傍観者であるかぎりにおいて、多かれ少なかれカタストロフに魅せられることを免れない。バークはそのことを、次のような例とともに書き記している。「自分は危険からもっとも遠く離れたところにいながら、英国ならびにヨーロッパの誇りであるこの高貴な首都〔＝ロンドン〕が大火や地震で破壊されるさまを見たいと願う――そのような、奇妙なまでに邪悪な人間などいないとわたしは信じる。だが、そのような決定的な出来事が起きたなら、世界中からどれほどの数の人々がその廃墟を見るために押し寄せるだろうか」〔4〕。

これは、他者への共感、すなわち悲劇に見舞われた他者への「憐れみ」について述べた章節からの抜粋である。しかしこうしたバークの言葉は、ほかの章節とくらべてどこか歯切れが悪い。他者の苦悩に共感を示すという悲劇の道徳的効果に触れるいっぽうで、かれはみずからが「歓喜」と名づけた特異な快との折り合いを、うまく付けかねているようにも見えるのだ。

ここでは、崇高なる感情にともなう疚しさが、ある種の抑圧をこうむっているように見える。ゆえに、そこで著者の筆が鈍りを見せるのも、ある意味では無理からぬことと言えよう。崇高が、魅惑と拒絶という正反対の感情をともに含むという点で、カントとバークは基本的な前提を共有している。だが、そこに残されるわずかな違和感は、かれらが最終的にそれを道徳感情へと結びつけていることにある。美と崇高――これら二つはたがいに相補的な美的範疇であるとされながら、崇高は最終的に他者への共感を呼び覚ますものとして（バーク）、あるいは理性への尊敬を目覚めさせるものとして（カント）、いずれも道徳的な範疇へとすり替えられてしまう。しかし、そこでひそかに隠されているのは、それでも人はその対象に惹きつけられてしまうという、ある種の疚しさではないか。

　重要なのは、魅惑と拒絶が入り交じる、その曖昧で仄暗い感情から目を背けないことだ。その感情を抑圧しつづけるかぎり、人はカタストロフによる崩壊を埋めあわせるための、偽の紐帯に屈することをまぬがれない。ばらばらになった人々に連帯を呼びかける「美しい」言葉には、真摯なものといかがわしいものとがある。自然と人為の別を問わず、そうしたカタストロフのあとに、後者のたぐいの言葉がかわるがわる考案されていくさまを、われわれはこれまで何度も目にしてきたではないか。そうした紐帯に回収されずにいるためには、独善的ではなく、かといって脆弱でもない、みずからの小さな領土を確保するための技術（アート）が必要である。そこに欠くことのできないものがあるとすれば、それはいかにももっともらしい畏敬や憐憫の感情ではなく、自分が安全な場を占めてしまったことによる、一抹の疚しさであるだろう——それを道徳的な感情とよぶべきかどうか、わたしにはまだわからない。

1 Voltaire, *Candide ou l'optimisme* (1759), in *Romans et Contes*, Paris: Garnier Frères, 1958.（ヴォルテール『カンディード 他五篇』植田祐次訳、岩波文庫、二〇〇五年）

2 Immanuel Kant, *Kritik der Urteilskraft* (1790), Hamburg: Felix Meiner Verlage, 2006.（イマヌエル・カント『判断力批判』熊野純彦訳、作品社、二〇一五年）

3 Edmund Burke, *A Philosophical Enquiry into the Origin of Our Ideas of the Sublime and Beautiful* (1757), London: University of Notre Dame Press, 1968, I, 4.（エドマンド・バーク『崇高と美の観念の起原』中野好之訳、みすず書房、一九九九年、四〇頁）

4 *Ibid.*, I, 15.（同前、五三頁）

2 戦後アメリカ美術と「崇高」——ロバート・ローゼンブラムの戦略

戦後アメリカの美術批評において、「崇高」という概念が担った役割はけっして小さくない。この概念は、抽象表現主義の画家たちを積極的に擁護する批評家はもちろんのこと、バーネット・ニューマン、ロバート・スミッソンをはじめとする美術作家によってもたびたび用いられたことで知られる。言うまでもなく、美術批評の文脈でこの言葉が用いられるさいに念頭におかれていたのは、バークの『崇高と美の観念の起源』（一七五七）とカントの『判断力批判』（一七九〇）である。そして、二〇世紀後半においてそれらがふたたび脚光を浴びるにいたったのは、カント、バークの両者がいずれもそれを「抽象」と結びつけて論じていたという事実と無関係ではない。

今日、そのような戦後アメリカ美術における「崇高」の系譜を振り返ってみた場合、間違いなくその中心人物のひとりとして挙げられるのが、美術史家・批評家のロバート・ローゼンブラムである。ローゼンブラムは、「抽象的崇高」（一九六一）や『近代絵画と北方ロマン主義の伝統』（一九七五）において「抽象的崇高（Abstract Sublime）」という概念を提起し、マーク・ロスコをはじめとする抽象表現主義の画家たちを積極的に論じたことで知られる。

ところで、こうしたローゼンブラムの議論の背後には、アメリカの戦後美術に特殊なしかたで「伝統」

を付与しようとする、ある目的をともなった身振りがみとめられる。つまり、ローゼンブラムにとって「崇高」とは、フリードリヒに代表される北方ロマン主義の絵画と、アメリカ戦後美術とのあいだに伏在する「伝統」を仮構するために不可欠な概念にほかならなかった。本章では、このローゼンブラムの仕事を中心に、戦後アメリカ美術における「崇高」概念と、「伝統」をめぐるその批評的戦略を詳らかにしていくことにしたい。

北方ロマン主義と抽象表現主義

一九六一年に『アートニューズ』に掲載された「抽象的崇高」は、ローゼンブラムがみずから「抽象的崇高」という概念を公にした最初期の論文である。これは、初出時にして四頁というごく短いものではあるが、のちの『近代絵画と北方ロマン主義の伝統』において開示される議論の枠組みは、このテクストにおいてほとんど出揃っている。

さて、ここでローゼンブラムが論じている同時代の画家は、クリフォード・スティル(一九〇四―八〇)、マーク・ロスコ(一九〇三―七〇)、ジャクソン・ポロック(一九一二―五六)、バーネット・ニューマン(一九〇五―七〇)の四名である。あらためて紹介するまでもないだろうが、各人ともに二〇世紀初頭の生まれであり、戦後のアメリカで活躍した画家である。のちに見るように、四者それぞれの作風はじっさいかなり異なるものの、かれらの作品はしばしば「抽象表現主義（Abstract Expressionism）」という名称により一括される。クレメント・グリーンバーグが一九五五年の「「アメリカ型」絵画」で述べるところによれば、この「抽象表現主義」という言葉じたいは『ニューヨーカー』誌のロバート・コーツによってはじめて用いられたものであるという。戦後のアメリカにおける一連の抽象絵画に対しては、これ以外にも「アクション・ペインティング（Action Painting）」、「抽象印象主義（Abstract Impressionism）」、「アメリカ型絵画（American-Type Painting）」などのさまざまな名称が用いられていたが、「抽象表現主義」という言葉がもっとも流布したために、結果的にこれが一般的な語彙として定着するにいたったというのが実情のようである〔1〕。

まずはローゼンブラムが「抽象的崇高」において展開する議論を大まかに整理しておこう。かれはそこで、先に挙げた四人の画家を、一九世紀前半のロマン主義の画家たちの後継者とみなしている。それはとりもなおさず、当時の美術界の覇権を握っていたフランス絵画とは異なる「北方ロマン主義の伝統（Northern Romantic tradition）」を持ち出すことで、従来の歴史観とは異なるオルタナティヴな伝統を戦後のアメリカに持ち込むためであった。したがって、ここでの「崇高」とはまずもって、「北方ロマン主義の絵画」と「戦後アメリカの絵画」を、その形式および精神性という二重の次元で結びつけるための概念にほかならない。なお、ここで「北方ロマン主義の絵画」とよばれているのは、一九世紀はじめのイギリスおよびドイツで活躍した画家たちのことであり、具体的にはジェイムズ・ウォード（一七六九―一八五九）、カスパー・

ダーヴィト・フリードリヒ（一七七四―一八四〇）、ジョゼフ・マロード・ウィリアム・ターナー（一七七五―一八五一）、ジョン・マーティン（一七八九―一八五四）の四名のことである。
「抽象的崇高」の冒頭部分において、ローゼンブラムはナイアガラの滝をめぐるトマス・ムーアの書簡を引き合いに出しつつ、ウォードとスティルの絵画にはいずれもそれに匹敵する崇高さが見いだされると述べる。ここで第一に強調されるのは、両者に共通するカンヴァスの大きさ（一辺一〇〇インチ以上）と、そこで描き出されている風景のスケールの巨大さである。ローゼンブラムは、「巨大さ（Greatness）」のもたらす崇高さについて書かれたバークの文章を引用しつつ、次のように言う。

イギリスの画家であるジェイムズ・ウォード（一七六九―一八五五）によって、一八一一年から一八一五年にかけてカンヴァスのなかに再現された《ゴルデールの谷》は、鑑賞者を崇高な経験のなかで呆然とさせることを意図している。クリフォード・スティルの作品が現われるまで、絵画においてこれに並ぶ経験はおそらく存在しなかった。エドマンド・バークの『崇高と美の観念の起源についての哲学的考察』（一七五七）は、この種の感情をめぐってもっとも影響力のあった文献だが、かれの言葉によれば「面積の巨大さは、崇高を引き起こす強力な原因となる」。［2］

この「巨大さ」に続き、絵画によって喚起される「崇高さ」の特徴として引き合いに出されるのが「曖味さ（Obscurity）」である。こちらはあくまで通りすがりの記述にとどまるが、ウォードの絵画においてはその「神秘的で暗い画面構成」が、バークの言う「曖昧さ」――およびそれによって喚起される「崇高さ」――に寄与するとされる[3]。そして、ウォードの断崖はスティルの絵画においては抽象的な形態に置き換わっているものの、ローゼンブラムによれば、その抽象的形態は単純になればなるほど、いっそう複雑で神秘的なものになる。このようなしかたでウォードとスティルが比較されたのちに、第二の参照項であるカントの『判断力批判』が引用される。「抽象的崇高」という言い回しがこのテクストにおいてはじめて用いられるのは、それに続く次の一節においてである。

『判断力批判』（一七九〇）において、カントは次のように述べている。「自然のなかの美が、限定をその本質とする対象の形式と結びついている」のに対し、「崇高は形式をもたない対象のうちに見いだされる。そしてそのなかにおいて、かつそれを契機としつつ、無限定性が表象されるのである」（I, Book 2, §23）。このような無限定性との息をのむような対峙において、われわれもまた、それとひとしく強力な全体性を経験することになる。このような対峙こそ、ロマン主義的崇高の画家たちと、「抽象的崇高」とよびうるものを追い求める近年のアメリカの画家たちを、しばしば結びつけるモティーフなのである。[4]

ここでのバーク、およびカントの援用の妥当性についてはのちに立ちかえることにして、引き続きローゼンブラムの議論を追っていこう。ウォードとスティルの比較に続くのが、フリードリヒ、ターナーとロスコの対比である。前二者の作品を特徴づけているのは、「神的なものの無限性」と「被造物の有限性」との対比である、とローゼンブラムは指摘する。たとえばフリードリヒの《海辺の僧侶》[fig. 1]には広大な水平線を前にした僧侶が、ターナーの《宵の明星》[fig. 2]には同じくボートに乗った人物が描き込まれている。そしてロスコの絵画もまた、無限を喚起する「静寂さ（stillness）」を共通の根としてもっているという点で、フリードリヒ、ターナーの絵画における「ヴィジョンおよび感情との類縁性」を示している。

また「静寂さ」とは対照的な、「豊かで解き放たれた力」に由来する「崇高さ」の例として挙げられるのが、ポロックの絵画である。ローゼンブラムは、ターナーの《吹雪》、ジョン・マーティンの《創造》における自然の混沌とした力の表象を、ポロックの絵画[fig. 3]のうちにも見いだそうとする。その根拠としてローゼンブラムは、ポロックの作品タイトルにしばしば自然にまつわる語彙（*Full Fathom Five, Ocean Greyness, The Deep, Greyed Rainbow*）が登場するという事実を引き合いに出している。

最後に、四人目の「抽象的崇高」の画家として挙げられるバーネット・ニューマンについては、とりわけその一九五〇年代の作品が取りあげられる。ローゼンブラムによれば、ニューマンの探求は、ほかのロマン主義の画家たちとは比較不可能なほどに際立っている。そこで探求されているのは、端的に言えば恐怖をもよおすほどの「空虚（void）」である。そして、ニューマンの絵画を際立たせているのは、絵画の構成要素を単一の色相と一本の線にまで還元することによって引き起こされる、原始的な創造への暗示である。

ここまでが、「抽象的崇高」で論じられる議論の骨子である。結論によれば、ローゼンブラムが提示した北方ロマン主義の画家たちと、アメリカの抽象表現主義の画家たちを繋ぎ合わせているのは、たんなる形式的な類縁性ばかりではなく、両者に共通する「感情的な要請」でもあるという。どういうことか。全体の考察を経由してかれが言わんとしているのは、北方ロマン主義とアメリカ抽象表現主義のあいだに「精神的な」連続性、ないし伝統が存在するということにほかならない。この点は、ここまで見てきた「抽象的崇高」の段階ではまだ詳らかにされてはいない。そのため、一九七五年の『近代絵画と北方ロマン主義の伝統』を参照しながら、引き続きこの問題を追っていくことにしよう。

北方ロマン主義の非形式的伝統

北方ロマン主義と抽象表現主義という、時代的にも地理的にも隔たったこの二つの絵画的潮流を連続的にとらえようとするローゼンブラムの試みは、一九世紀以降に支配的だった――そしていまなお正統に属する――フランス絵画の伝統とは異なる系譜を探り当てるという動機に支えられている。『近代絵画と北方ロマン主義の伝統』の序文には次のようにある。少々長いが引用しよう。

このわたしの野心的な議論の骨子は次の通りである。それは、ダヴィッド、ドラクロワからマティス、ピカソにいたるまで、パリをその特権的な場処とする正統な近代美術史を補いうるような、もうひとつの重要な近代美術史の読みかたがある、というものである。わたし自身の読みかたはといえば、形式的な価値のみに依拠するのではなく［……］むしろ近代文化史におけるある種の問題がもつインパクト、とりわけロマン主義運動において提示された宗教的なジレンマに依拠している。そのインパクトは、おもにヨーロッパ北部および合衆国において仕事をする芸術家たちの長い伝統のなかで共有されてきた主題、感情、そして構造の組み合わせに対して与えられたものである。このような見かたは、ほとんど擁護の必要すらない、近代美術におけるフランス的伝統の威光を矮小化しようとするものではまったくない。むしろ、近代美術における別種の、反フランス的な伝統を提起することが試みられている。その伝統は、われわれがフリードリヒ、ファン・ゴッホ、モンドリアン、そしてロスコといった偉大な芸術家たちを理解する助けとなるだろう。それは言ってみれば、パリのレンズを通してではなく、長きにわたる北方ロマン主義の伝統の文脈を通してかれらを見ることによって可能になる［……］。［5］（強調引用者）

ここでひとつ言いそえておけば、このような立場がいくぶん修正主義的な側面をもっていることに、ローゼンブラムはじつのところかなり自覚的である。これにつづく文章で、かれは自分の議論がフランス絵画と北方ロマン主義の絵画を過度に二極化していること、およびその両者にまつわる問題をきわめて雑駁に一般化していることを認めている。むしろ、かれは読者の安易な追従を拒みつつ、おのれの意図があくまで絵画史の勢力均衡の修正にあるということを明言しているのだ。いずれにせよ、先のマニフェスト的な文章からもうかがえるように、北方ロマン主義の絵画と抽象表現主義の絵画とのあいだに存在する形態的類似性の指摘は、ローゼンブラムにとっては事の半面でしかない。というのもかれは、マネの《草上の昼食》(一八六二—六三)を起点とする「一連の形式の展開」としての近代絵画史そのものに疑問符をつけているからである。

この問題については、ローゼンブラム(一九二七—二〇〇六)よりもやや年長に属するグリーンバーグ(一九〇九—九四)の批評的立場と比較してみると、事態はより明快になる。ここであらためて紹介するまでもないだろうが、前世紀の美術批評家として間違いなく最大の影響力を誇ったグリーンバーグの立場は、いわゆるフォーマリズム批評とよばれるものであった。「メディウム・スペシフィシティ(媒体固有性)」というキーワードとともに知られるその理論は、一九世紀のマネないしクールベによって「絵画的メディウムの純粋化」が始まったという、ある種の「神話」に支えられたものだった。したがって、グリーンバーグおよびその後継者たちは——フランス絵画からアメリカの抽象表現主義へといたる伝統をそこまで強調するわけではないにせよ——、おのれの批評理論の枠組みにおいて、一九世紀のフランス絵画を暗黙のうちにその端緒として定めている。それがもっとも顕著にあらわれている文章のひとつが、先にもふれた「「アメリカ型」絵画」（一九五五）に読まれる次の一節である。これは、パトリック・ヘロンによる「アメリカ型絵画」という呼称の中立性を支持するグリーンバーグが、そのかたわらで「抽象表現主義」という呼称の正当性について述べているところである。

> 「抽象表現主義的」という用語を正当化する根拠は次の事実にある。すなわち、これに含まれる画家たちの多くが後期キュビスムの抽象芸術から逃れ、ドイツ、ロシアあるいはユダヤ的な表現主義をその導きとしたという事実である。しかしそれでもなお、かれらはみなフランスの絵画から出発し、そこからみずからのスタイルについての根本的な感覚を引き出した。そしていまなおフランス絵画とのあいだに、ある種の連続性を保ちつづけているのである。とりわけ、かれらがその野心的ですぐれた芸術と、それが同時代においてむかうべき一般的な方向性をめぐる明晰な観念を得たのは、フランス絵画からなのである。［6］（強調引用者）

ローゼンブラムはみずからの仮想敵を、フランス中心主義におちいった従来の近代美術史に定めていた。そして、同じくフランス的伝統を前提としつつ抽象表現主義を論じたグリーンバーグ、さらにはマイケル・フリードをはじめとするその後継者たちの美術批評も、当然その視野に収まっていたにちがいない。とりわけグリーンバーグが一九五〇年代に著したテクストでは、スティル、デ・クーニング、ポロック、ニューマン、ロスコといった画家たちがやはり中心的に論じられており、ローゼンブラムが評価する同時代の画家たちとほぼ完全な一致をみせていた。つまりローゼンブラムは、グリーンバーグがその世界的な評価に寄与した画家たちを支持するいっぽう、グリーンバーグとはむしろ対立するかたちで、かれらの作品を近代絵画史のなかに位置づけようとしたのである。

こうしたグリーンバーグとの対比は、ローゼンブラムの唱える絵画的伝統の特異性を浮き彫りにするうえでも、おそらく大きな手がかりとなるだろう。というのも、たしかにローゼンブラムは「抽象的崇高」においてロマン主義と抽象表現主義の絵画を形式的な観点から比較していたのだが、それはどちらかと言えば二次的なものにすぎなかったからだ。事実、もしも両者の形式的な比較がその主眼であったとすれば、「抽象的崇高」においてニューマンの絵画がいかなる作品とも比較されていないのは、その立論における致命的な瑕疵となっていただろう。では、ローゼンブラムが真に強調しようとしていた「伝統」とは、いったいいかなる「伝統」なのだろうか。「抽象的崇高」を総括している次の一節を見てみよう。

まさしくニューマンの作品タイトル（*Onement, The Beginning, Pagan Void, Death of Euclid, Adam, Day One*）こそが、この崇高なる意図を証言している。事実、ニューマン、スティル、ロスコ、ポロックによるもっとも大きな四種類のカンヴァス作品は、第二次世界大戦後の創世記の神話として解釈することができるだろう。ロマン主義の時代、自然の崇高性は神的なものの証明であった。そして今日、そのような超自然的な経験は抽象的な絵画的媒体によってのみ伝達されうる。かつての汎神論［pantheism］が、いまやある種の「絵画－神論［paint-theism］」へと転じたのだ。［7］

もうひとつ引用してみよう。次の一節からは、ことをもっぱら作品の「形式」へと還元しようとするフォーマリズムへの暗黙の批判が読みとれる。

しかし見落としてはならないが、かれらがキュビスムの伝統を拒否したという事実は、形式的な要請だけではなく感情的な要請によっても規定されている。見るところ、この感情的な要請は、原子力時代の不安の只中にある尽きることのないエネルギー、および無限に広がる空間というロマン主義的な語彙に合致するのみならず、ロマン主義における非合理的なもの、畏怖すべきものの伝統に突如として合致することになったのである。［……］崇高な風景画の痕跡のいくばくかは一九世紀後半にも残存していたものの［……］、この伝統は、理性、知性、そして客観性というおなじみの価値を有する国際的なフランスの伝統の支配によって、全体的に抑圧されてきたのである。［8］

「抽象的崇高」において、抽象表現主義の絵画がもつ「自然」にまつわる要素が強調されるのも、自然のうちに「超自然的なもの」を見るロマン主義との連続性を見いだすためであったのだろう。ロマン主義と同様の姿勢を抽象表現主義のうちにも発見すべく、ローゼンブラムはいささか強引なしかたで後者のうちに「自然」の主題を読みとろうとする。ポロックを論じた部分で、かれの作品タイトルに自然にまつわる語彙が登場するという事実が指摘される理由も、それ以外には見当たらない。なお、ここで述べられているような世界観、すなわち自然のうちに「神的なもの」ないし「超自然的なもの」を見いだそうとする世界観は、ロマン派の画家のなかでもフリードリヒに顕著である。フリードリヒが、『近代絵画と北方ロマン主義の伝統』において「アルファ」の位置を占める画家であるとまで言われるのも、大部分はこうした思想に由来している。

フリードリヒのジレンマ、すなわち伝統的なキリスト教的図像学という聖なる領域の外に位置する世俗的な世界において、神性の経験をふたたび活気づけるという要請は、いまなおその作品から直観できるように、かれの強い個人的要請によるものであった。しかし、それはまたべつの次元において、かれの同時代人の多くによって共有されていた要請でもあった。その同時代人とは、伝統的なキリスト教に対する一八世紀の執拗な攻撃に応戦し、教会の沈滞した儀式や図像を甦らせ、これを取り戻そうとした人々のことである。げんにフリードリヒが意図したことは、その神学的な言葉づかいにおいて、同じ世代に属するドイツのプロテスタントであり、その六年前の一七六八年に

生まれたフリードリヒ・エルンスト・ダニエル・シュライエルマッハーの著書や説教と、よく似ているのである。〔9〕

慣習的なカテゴリーを超えたこれらフリードリヒの絵画は、もはや風俗画とも、風景画とも、海景画とも見なされえない。いまや、風景に対する人物の関係は、ある内密さ、力強さを湛えている。それは、彼方の神秘に対するある種の静かな、プロテスタント的瞑想の領域へと侵入するような内密さ、力強さである。〔10〕

この種の神秘的なものに対する姿勢こそ、フリードリヒという「アルファ」とロスコという「オメガ」を連続的に結ぶものである。ローゼンブラムは、トーマス・カーライルによる「自然的超自然主義（Natural Supernaturalism）」という言葉を引き合いに出しつつ、自然のうちに神的なものを見る精神をロマン主義と抽象表現主義の双方に見いだそうとする。

ここまで見てきたように、ローゼンブラムが提示する「北方ロマン主義の伝統」とは、形式的なものというより、もっぱら宗教的、精神的なものであったと言うことができる。「フランス絵画のモダニズム的伝統」に、以上のような「北方ロマン主義の伝統」を対置することによって、ローゼンブラムはフランスを中心とした「形式的発展」としての近代美術史に修正を迫った。そして『近代絵画と北方ロマン主義の伝統』の第三部「超越的抽象」では、その神秘的なヴィジョンがあらためて強調される。

二〇世紀中葉の近代絵画についての見かたは、芸術のための芸術という、パリを中心とした理想に完全に支配されていた。それゆえ、多くの抽象の創造の背後にある衝動が、本質的に美的な［aesthetic］ものではないということに気づくのに、ほとんど半世紀を要したのである。［……］フランスの国外において、経験的世界の描写から完全に解放されていた芸術の進歩は、神秘的かつ精神的な領域に対する夢想によって促進されていた。その際立った野心において、それらの夢想は、事物の物質的な表面の背後に潜り込み、その宗教的本質を引き出そうとする、ロマン主義的な芸術的探求を不朽のものとしたのである。［11］

ここでは詳しく展開しないが、『近代絵画と北方ロマン主義の伝統』では、ゴッホやムンク、モンドリアンやカンディンスキーといった画家たちが、一九世紀から二〇世紀にかけてロマン主義的な精神性を受け継いだ画家として挙げられている。事実、モンドリアンやカンディンスキーが、たんに形式的な探求のためではなく、むしろ神秘主義的な関心のもとに「抽象」へとむかったということは多くの資料から裏づけられており、この点でローゼンブラムの議論には一定の説得力が付与されている。

キー・コンセプトとしての「崇高」の放棄

以上からも明らかであるように、ローゼンブラムの「抽象的崇高」という概念に込められていたのは、総じて神学的、神秘的なニュアンスである。「崇高」という言葉によって喚起される超越的なイメージをアメリカの抽象表現主義のうちに見いだし、かつ、それを北方ロマン主義の伝統に接続することこそ、六〇年代から七〇年代にかけてのローゼンブラムがもっとも力を注いだプログラムにほかならなかった。しかしその反面、そこで提示される「崇高」は、あくまでもこの概念が喚起する通俗的なイメージに拠りかかったものでしかなく、そこでは「崇高」概念そのものの厳密な規定がなされているとは言いがたいのも事実である。

なるほど、たしかにローゼンブラムは、バークおよびカントという近代の「崇高」概念をかたちづくった二人の著書に言及してはいる。第一節で確認したように、バークについてはその「巨大さ」「曖昧さ」をめぐる記述を、カントについては「崇高の無形式性」というその有名な定義を引き合いに出している。しかし、二〇世紀後半における崇高論の流行と、そこから生じた豊かな成果をこれと比較してみた場合、ローゼンブラムが用いる「崇高」はあくまで議論のための表層的な援用以上のものには見えない。たとえば、ニューマンの絵画において喚起される「恐怖」の感情が強調されるさい、同じく「恐怖」について論じたバークの議論との接続が見られないのは、いささか不自然な印象を与える。またカントについて言えば、ローゼンブラムが引用した一節は、じつのところ大きく歪曲されて議論に組み込まれている。いまいちど『判断力批判』から引用してみよう。「自然のなかの美は、限定をその本質とする対象の形式と結びついている。これに対して、崇高は形式をもたない対象のうちにも見いだされる。そしてそこにおいて、それを契機としつつ、無限定性が表象されるのである」——このカントの一節に含まれる「形式」「無形式」という語彙は、じつのところなんらかの具体的な「形」を指すものではない。よって、これを絵画における「具象」と「抽象」をめぐる議論に接続することは、テクストの内容に鑑みればほとんど正当性をもたない。

そもそも、抽象表現主義の絵画をまるごと「崇高」というキーワードによって総括しようというローゼンブラムの試みは、各作品のあいだに存在する意匠的な差異に目を瞑ることによってはじめて可能になる。一例として挙げれば、かれが引き合いに出すポロックとニューマンの作品を成り立たせている原理は、言うまでもなく大きく異なっている。さきほども見たように、かれらに付与された「抽象表現主義」というラベルは、そうした個々の作家の意匠を捨象したうえでのみ可能な、便宜的な呼称にほかならない。事実、ローゼンブラムと同じくカント、バークに依拠しつつニューマンを論じたリオタールの論文（「崇高と前衛」や「瞬間、ニューマン」）[12]と比較すると、前者の「崇高」論は——本人もあるていどまで自覚している通り——ごく雑駁なものにとどまっていると言わざるをえない。

そのせいもあってか、『近代絵画と北方ロマン主義の伝統』では、じつのところ「崇高」という概念はほとんど登場しない。もちろん「抽象的崇高」における議論の骨子は踏襲されているものの、「抽象的崇高」という表現そのものは、序文でいちどだけ用いられるにとどまっている。『近代絵画と北方ロマン主義の伝統』ではむしろ、ゴッホ、ムンク、カンディンスキー、モンドリアンといった、一九世紀後半から二〇世紀前半に活躍した画家たちを間に挟むことで、抽象表現主義に到達するまでの時代にも、同じく北方ロマン主義の伝統が存在したという歴史の提示が目論まれているのである。

ここまでの議論をまとめるならば、次のように言えるだろう。戦後アメリカにおけるローゼンブラムの批評活動は、フリードリヒを中心とした北方ロマン主義の再評価と、アメリカの抽象表現主義の評価という二つのプログラムによって駆動されており、同時にそれはフランス中心の近代美術史に修正を迫るという企図とも軌を一にしていた。そのさいローゼンブラムは、「崇高」というロマン主義とも親和性の高い用語に着目し、「抽象的崇高」という概念を提示することで両者の接続を図る。しかし最終的に、ローゼンブラムはこの「抽象的崇高」を十分に説得的な概念とするまでには至らず、ついには超自然的なもの、神的なものの切望を「北方ロマン主義」の中心的な精神性と定め、この伝統を受け継ぐものとして抽象表現主義を位置づけたのである。

ここで教科書的な事実を確認しておくならば、そもそも「崇高」とは、二〇世紀のいわゆる反‐美学的な作品を論じるうえで、もっともさかんに用いられた概念のひとつであった。くだんのバークやカントがこれを「美」と対比していたこともあり、なかにはローゼンブラムのような宗教的な要素なしに、抽象表現主義を「崇高」を結びつけた批評家も少なくない。たとえばジャン＝フランソワ・リオタールは、先にもふれたようにニューマンについて二、三の論文を残しているが、そこでかれはローゼンブラムとは異なり、むしろ「恐怖」をめぐるバークやカントの崇高論を援用しながらニューマンの絵画を評価している。さらによく知られているように、ニューマンその人もまた、戦後すぐに「崇高は今」（一九四八）［13］というテクストを著し、近代絵画が従来の造形性、形式性からの逃避のみに力を注いできたことを批判している。このニューマンのテクストは、ある絶対的なもの、宗教的なもの、あるいは崇高なものに対する関係をもつことをその旨とするかぎりにおいて、ローゼンブラムの議論とも一定の親和性を有している。ただしニューマンはここで、アメリカの一部の画家たちが西洋の絵画的伝統から解放されつつあるという点を積極的に評価しているため、ローゼンブラムのようになんらかの「伝統」をそこに見いだす姿勢とはじつのところ対極にある。

しかし、ここではニューマン／リオタールの議論には深く立ち入らず、あるひとつの事例を引き合いに出すにとどめたい。それは、本章のはじめにも名前を挙げたロバート・スミッソン(一九三八—七三)による「崇高」である。

スミッソンは、三五年という短い生涯のなかで数多くの作品を残したが、それと同時にみずからの作品とも密接な関係をもつ膨大な量のテクストを執筆している。その多くは、かれの代表作《スパイラル・ジェッティ》(一九七〇)[fig. 4]をはじめとする、アース・ワーク(ランド・アート)の理論的背景を説明したものであると言ってよい。現在もっとも充実したスミッソンの著作集(ジャック・フラム編、一九九六年)を参照するかぎり、「崇高」という言葉そのものは、かれの著作物のなかでかならずしも中心的な位置を占めていない。そして、スミッソンがこの概念について論じた数少ないテクストのひとつが、次に見る「フレデリック・ロー・オルムステッドと弁証法的ランドスケープ」(一九七三)である。

その表題にもなっているとおり、同テクストはセントラル・パーク[fig. 5]の造園などで知られるフレデリック・ロー・オルムステッドと、かれの手によるランドスケープについて論じたものである。オルムステッドの仕事の土台となっているのはイギリス発祥の風景式庭園であるが、このテクストにおけるスミッソンの意図のひとつは、この風景式庭園とオルムステッドの造園とを結ぶ伝統を浮き彫りにすることにある。そして、このような議論のなかでスミッソンが引き合いに出すのは、ギルピン、プライスという、一八世紀後半のイギリスにおけるピクチャレスクの代表的な理論家たちである。くだんのバークよりもやや下の世代に属する両者は、バークが定式化した「美」と「崇高」という対立を「ピクチャレスク（picturesque）」という第三の美的範疇によって総合しようとした。とりわけプライスは、「ピクチャレスク」を「崇高と美のあいだに」あり、「両者とより頻繁かつ幸福な同盟を結ぶ」ものとして論じている。スミッソンはそのようなプライスの理論を、次のように要約する。

プライスは、エドマンド・バークの『崇高と美の観念の起源についての考察』（一七五七）を拡大し、イタリアの「絵画」式庭園から、時間的なランドスケープにかんするより身体的な感覚にむけて造園（ランドスケーピング）を解放しようとした。［……］バークの「美」と「崇高」という観念は、滑らかさ、柔和な曲線、自然の繊細さというテーゼ［*thesis*］として、そして恐怖、孤独、自然の巨大さというアンチテーゼ［*antithesis*］として機能する。これらはヘーゲル的な理念というより、むしろ現実的な世界に根ざしたものである。プライスとギルピンは、「ピクチャレスク」の定式化に総合［*synthesis*］を提供する。そしてそれは、自然の物質的秩序における偶然と変化とに関連する、緻密な考察に基づいているのである。［14］

「スミッソンが《シフト》を見に来たとき、かれはそのピクチャレスクなクオリティ［picturesque quality］について語っていた。しかしわたしは、かれがいったい何についてそう言っているのかわからなかったのだ」［15］

——リチャード・セラは、かつて《シフト》（一九七〇—七二）［fig. 6］を目にしたときのスミッソンの反応をめぐって、そのような困惑を表明したことがある。すでにおわかりのように、この発言の背景となっているのは、たんに「絵画的」という意味での「ピクチャレスク」なのではなく、先に引用した意味での——すなわち「美」と「崇高」の総合としての——「ピクチャレスク」なのである。ここから、たとえばイヴ＝アラン・ボワは、スミッソンの発言の背後にあった庭園美学へ注意をうながすことで、このセラの困惑に整合的な説明を与えようとした[16]。ボワによるこのセラ論は、グリーンバーグやフリードの議論に対する批判的応答として興味深いものではあるが、さしあたりそれはもっかの議論とは異なる話題に属する。

おわりに

最後に、ふたたびローゼンブラムに戻ることにしよう。前節でその概要を見たように、ギルピン、プライスらによるイギリス庭園美学の崇高論を継承したスミッソン的「ピクチャレスク」は、当人の作品は言うにおよばず、リチャード・セラをはじめとする、スミッソンと近しかった作家について考えるうえでも重要な補助線となる。ある意味で、これはローゼンブラムとは異なる、戦後アメリカにおけるもうひとつの美学的「崇高」の継承である。すなわち、ローゼンブラムが戦後アメリカ美術を北方ロマン主義の精神的継承者と見なしたのに対し、ここでスミッソンは自然に対するオルムステッドの、そして自分自身の制作的介入を、イギリスの造園家たちの後を継ぐものとして位置づける。

ローゼンブラムとスミッソン——この二人の「ロバート」による「崇高」をめぐる議論が、当時において直接的な接点をもっていたとは考えにくい。むしろ、一九六〇から七〇年代という比較的近い時期に、「崇高」という概念とヨーロッパ的伝統の継承をめぐるテクストが——おそらく互いに交わることなく——書かれたということ、そのこと自体がひとつの兆候として注目に値する。というのも、それは「崇高」というこの美的範疇とヨーロッパ的近代性（モデルニテ）との密接な関わりを顕著に示しており、そのような近代性の継承こそが、二〇世紀後半の美術史における賭金のひとつであったことをまざまざと映し出しているからである。

ローゼンブラムの「抽象的崇高」という概念は、先に示したように、結果的にある種の失敗に突き当たらざるをえなかった。それは、「北方ロマン主義の伝統」というフィクショナルな伝統を二〇世紀後半のアメリカに召喚するための、ひとつの着想、ないし思いつきの域を出なかったと言ってもよい。しかし、むしろそうであるがゆえに、ローゼンブラムのテクストは多くのことを教えてくれる。同時代の芸術に、不可能なる「伝統」を付与すること——それは、一八世紀のヴィンケルマンによる「ギリシア幻想」以来連綿と続く、近代の典型的な症状である。もしもローゼンブラムが喚び出そうとした「北方ロマン主義の伝統」なるものが存在するとすれば、それは近代に特有の、幻想としての「伝統」にほかならない。

1 Clement Greenberg, “American-Type’ Painting” (1955), in John O'Brian (ed.), *The Collected Essays and Criticism*, vol. 3: Affirmations and Refusals, 1950-1956, Chicago: University of Chicago Press, 1993, pp. 217-218.

2 Robert Rosenblum, “Abstract Sublime” (1961), in *On Modern American Art: Selected Essays*, New York: Harry N. Abrams, 1999, pp. 73-74. なお、本文で記したように、ジェイムズ・ウォードの没年は正しくは一八五九年。ここで引用されているバークの『崇高と美の観念の起源』の該当部分は次の通りである。

3 Edmund Burke, *A Philosophical Enquiry into the Origin of Our Ideas of the Sublime and Beautiful* (1757), James T. Boulton (ed.), 1958, London: University of Notre Dame Press, 1968, II, 7.（エドマンド・バーク『崇高と美の観念の起源』中野好之訳（一九七三年）、みすず書房、一九九九年、第二部第七章）

バークの『崇高と美の観念の起源』で「曖昧さ」が論じられている一節は次の通りである。*Ibid.*, II, 3.（同前、第二部第三章）

4 Robert Rosenblum, “Abstract Sublime” (1961), *op. cit.*, p. 74. ローゼンブラムによるこのカントの引用はやや不正確である。該当部分は次の通り。「自然のなかの美は、限定をその本質とする対象の形式と結びついている。それに対し、崇高は形式をもたない対象のうちにも見いだされる。そしてその中において、それを契機としつつ、無限定性が表象されるのである」(Immanuel Kant, *Kritik der Urteilskraft*, § 20)。

5 Robert Rosenblum, *Modern Painting and the Northern Romantic Tradition: Friedrich to Rothko*, London: Thames and Hudson, 1975, pp. 7-8.（ロバート・ローゼンブラム『近代絵画と北方ロマン主義の伝統――フリードリヒからロスコへ』神林恒道・出川哲朗訳、岩崎美術社、一九八八年、一〇―一一頁）

6 Clement Greenberg, “American-Type’ Painting” (1955), *op. cit.*, p. 219. ここで訳出したものとは底本が異

なるが、同テクストの日本語訳の該当部分は次の通り（内容には若干の異同がある）。クレメント・グリーンバーグ「「アメリカ型」絵画」『グリーンバーグ批評選集』藤枝晃雄編訳、勁草書房、二〇〇五年、一一五頁。

7 Robert Rosenblum, "Abstract Sublime" (1961), *op.cit.*, p. 78.

8 *Ibid.*, pp. 78-79. ここで、ローゼンブラムが通りすがりにふれている技術的な「崇高」については、David Nye, *American Technological Sublime*, Cambridge, Mass: MIT Press, 1996 などで論じられている。とはいえ、同書は建築、原子力、消費社会などにおける「崇高」を主題としており、ここで問題となっている美術批評の文脈、およびカント、バークらの思想的文脈が尊重されているわけではない。

9 Robert Rosenblum, *Modern Painting and the Northern Romantic Tradition*, *op. cit.*, pp. 14-15.（前掲書、一三三頁）

10 *Ibid.*, p. 22.（同前、三五—三六頁）

11 *Ibid.*, p. 173.（同前、二四一頁）

12 Jean-François Lyotard, « L'instant, Newman » et « Le sublime et l'avant-garde » in *L'inhumain: Causeries sur le temps*, Paris: Galilée, 1988.（ジャン＝フランソワ・リオタール「瞬間、ニューマン」「崇高と前衛」『非人間的なもの』篠原資明・上村博・平芳幸浩訳、法政大学出版局、二〇〇二年）

13 Barnett Newman, "The Sublime Is Now" (1948), in John P. O'Neill (ed.), *Barnett Newman: Selected Writings and Interviews*, New York: Alfred A. Knopf, 1990, pp. 170-174.（バーネット・ニューマン「崇高はいま」神林恒道訳、『芸術／批評』第0号、東信堂、二〇〇三年、一四五—一五〇頁）

14 Robert Smithson, "Frederick Law Olmsted and the Dialectical Landscape" (1973), in Jack Flam (ed.), *Robert Smithson: The Collected Writings*, Berkeley and Los Angeles: University of California Press, 1996, p. 159.

15 Richard Serra, *Richard Serra: Interviews, Etc. 1970-1980 (Catalogue)*, Hudson River Museum, 1980, p. 181.

16 Yve-Alain Bois, "A Picturesque Stroll around 'Clara-Clara'," trans. John Shepley, *October*, 29 (Summer 1984), pp. 32-62.

3　感性的対象としての数——カント、宮島達男、池田亮司

　ごく当たり前のことを言うようだが、ものを数えるとき、われわれはつねに数字や記号を用いている。目の前にあるリンゴをひとつ、ふたつ、と数えるとき、きっとわたしの脳裏には「1」や「2」といった具体的な数字が浮かび上がっているにちがいない。また、確定申告の計算のためにせっせと電卓を叩いているとき、わたしの目には「0」から「9」までの組み合わせからなる数桁の数字がたしかに映じている。グーゴルやグラハム数といった想像すら困難な巨大数について考えるときでさえ、わたしは数字や記号によって視覚的に表象された数をこの目で見て、それがきっと途方もなく大きな数であることを推測することができる。

　かくのごとく、われわれがなんらかの目的のために数を扱うとき、そこにはまぎれもなく可視的な対象としての数が浮かび上がっている。可視的な対象といったが、それは頭のなかで簡単な暗算をするときでも、計算機を用いて複雑な計算をするときでも、基本的には変わらない。数について考えるとき、われわれはそれを知性的に認識すると同時に、感性的に認識してもいる。ちなみにわたしは12という数が好きである。とりたてて理由はなく、たんにその数字の並びを見るが好きなのだ（ゆえに、漢数字やローマ数字で同様のことを考えねばならないとしたら、事情はまったく異なってくる）。

数は、知性的認識の対象であるとともに、感性的認識の対象でもある。さしあたりそのことを前提とする本章の主題は、感性的対象としての巨大数である。すなわち、数は数でも「巨大な」数を前にしたとき、ひとはいったいいかなる感覚をおぼえるのか、というのがここでの主題である。巨大数の感性的表象という、おそらくあまり考えられたことのないテーマに接近するための方法として、ここからは大きく二つのことを話題にしたい。

まず、この巨大数の感性的表象というテーマからすぐさま連想される哲学的議論として、「崇高」をめぐるカントの議論を紹介する。あらかじめ述べておけば、カントのよく知られた「数学的崇高」において、もっか話題となっているような巨大数は議論の外にあると言ってよい。いくぶん逆説的に聞こえるかもしれないが、じつのところカントの「数学的崇高」が明らかにしたのは、数はいかに巨大なものであっても崇高なものとはなりえないという事実だからである。本章の前半部分は、おもにこの論証のために費やされることになるだろう。

他方で、カントのテクストから導き出される右記の事実は、あくまでも数式のようなかたちで表された数に限られたものである。言いかえれば、その表象様式さえ変われば、数がなんらかの崇高さを喚起することも不可能ではない。のちほどその理論の雛型を示すことになるが、何はともあれ、来たるべき理論には範例が必要である。そこで本章の後半部分では、じっさいに（巨大）数を感性的に表象した美術家たちの作品を取りあげ、今後のさらなる考察のための一助としたい。

カントにおける「数学的」と「力学的」という用語について

美学において、ある巨大な対象を前にしたときに惹起される感覚は、しばしば「崇高（sublime）」とよばれる。歴史的に言えば、その誕生は一八世紀ヨーロッパにおける雄大な「自然」の発見と緊密に結びついているのだが、カントが『判断力批判』（一七九〇）においてこれに哲学的な基礎を与えて以来、「崇高」は「美」とならぶもっとも重要な美的範疇となった。

カントは美と崇高を次のように比較する。すなわち、美しいものと崇高なものは、いずれもそれ自体で人々の意にかなうという点において共通している。かつ、そのいずれもが、たんなる論理的判断でも感覚的判断でもなく、むしろみずから規則を与えるような「反省的」判断にもとづいているという点でも、やはり共通の性格がみとめられる〔1〕。

同時に、両者には甚大な違いもある。すなわち、美がつねにその対象の形式に関わるのに対し、崇高は形式を欠いた対象のうちにも見いだされる。よりわかりやすく言えば、美が輪郭をともなった有限な対象においてのみ見いだされるのに対し、崇高は無限や永遠を連想させるような、巨大な対象においても見いだされるということだ。

そのカントは、『判断力批判』の第二三節から二九節に相当する「崇高の分析論」の序盤で、いささか唐突に「数学的崇高」と「力学的崇高」という二つの下位区分を導入している。いわく、「崇高なものの分析には、美しいものの分析が必要としなかった、ひとつの区分が必要となる。すなわちそれが数学的に崇高なものと力学的に崇高なものとの区分にほかならない」。

その理由は次の通りである。崇高なものの感情は、対象の判定と結びついた心の動きを、その特徴としてともなっている。これと較べるなら、美しいものに対する趣味は、平静な観照の状態におかれた心を前提とし、それを保持するものである。前者の動きは、しかし主観的に合目的的なものとして判定されねばならない（崇高なものは意にかなうからである）。ゆえに、その動きは構想力を通じて、認識能力か欲求能力かのいずれかに関係づけられるのだが、しかしそのいずれの関係にあっても、与えられた表象の合目的性は、ただこれらの能力に関してのみ（目的や関心を欠いたまま）判定される。そこで、前者の合目的性は構想力の数学的調和として、後者のそれは構想力の力学的調和として対象に付与される。こうして対象は、先の段落で挙げた二つのしかたで、崇高なものとして表象されるにいたる。〔2〕

ここに登場する「数学的（mathematisch）」と「力学的（dynamisch）」という言葉の含意を、この部分を一読しただけでつかみ取ることはおそらく不可能だろう。カントにおいてこれらが意味するところを正確に把握するには、そもそもこれらの区分を導入した『純粋理性批判』（一七八一／八七）に立ち返っておく必要がある。

そこでもっかの議論に関わる部分を読んでみると、カントは同書でも「数学的」と「力学的」という言葉をペアで用いつつ、構想力の「数学的調和」と「力学的調和」という二つのはたらきを論じていたことがわかる。カントによれば、これらは「合成（Zusammensetzung）」と「連結（Verknüpfung）」という、それぞれ異なる結合（Verbindung）のはたらきに対応しているのだが、前者の「合成」は「たがいに必然的に帰属しあっているのではない多様なものの総合」、後者の「連結」は「たがいに必然的に帰属しあっているかぎりでの多様なものの総合」を言うために用いられている。合成については「対角線によって分かたれた正方形が作る二つの三角形」という、いっけんよくわからない例が挙げられている。とはいえ、対角線によって分かたれた正方形が作る二つの三角形が必然的な帰属関係にないことは、おそらく直観的にも把握可能だろう。連結については「実体」と「偶有」、「原因」と「結果」という二組の例が挙げられているが、これらがそれぞれのケースにおいて必然的な帰属関係にあるということも、すこし考えれば（それなりに）納得のいくものであるにちがいない[3]。

とはいえ、カントもみとめているように、ここで用いられている「数学的」と「力学的」という言葉は、いわゆる数学や力学を念頭においたものでは明らかにない。だからこそ、同様にペアをなす「数学的崇高」

と「力学的崇高」について考えるに際しても、あらかじめ次のことをふまえておく必要があるのだ——つまり、いましがた『純粋理性批判』に即して見たように、カントが「数学的」と形容するのは、構想力によってたがいに必然的な帰属関係にないものどうしの結合、すなわち「合成」が行なわれるという事態なのである。

カントにおいて「数学的に崇高である」とはいかなることか

そのことを見たうえで、あらためて「数学的崇高」に照準を合わせることにしよう（そのために、以下では「力学的崇高」をめぐる議論のいっさいを省略する）。

われわれが崇高と名づけるのは、端的に大であるものである。しかし、大であること〔Groß sein〕と、ある大きさであること〔eine Größe sein〕とは、まったく異なった概念である（*magnitude* と *quantitas*）。同じように、あるものが大であると端的に（*simpliciter*）語ることと、あるものが端的に大である（*absolute, non comparative magnum*）と語ることとは、やはりまったく異なる事柄である。後者は、比較のすべてを超えて大であるものなのである。〔4〕

引用文中の丸括弧内はそれぞれ、カント本人によるラテン語の補註である。「数学的崇高」をめぐる議論はこのような一節によって始まるのだが、ここでカントはいったい何を言おうとしているのだろうか。急ぎ結論を述べてしまうなら、あるものが「端的に大である」とは、それがいかなる比較も拒むような大きさだということである。「あるものが大である」と端的に述べたところで、その大きさのうえに、またべつの大きさをもった何かが存在することは容易に推測される。これに対し「あるものが端的に大である」とは、それと比較しうるようなものがどこにも存在しない、「ただそれ自体とのみ等しいような」大きさだということである。

ここで重要なのは、あらゆる比較を超えたそのような大きさは、ただ主観のみを「ものさし」とすることではじめて可能になるという事実である。言いかえれば、そこに客観的な「ものさし」を適用するかぎり、いかなる比較も拒むような「端的な」大きさが立ち現われることはない。そのことは、ほかならぬ「数」のもつ性格からはっきりと証明される。たとえば「n」という数が「大である」と——端的に——語るとしよう。しかしすぐさま気づかれるように、その「n」の大きさは「n+1」という数によってあっさりと乗り越えられてしまう。そこに数という客観的な「ものさし」を当てはめるかぎり、「比較のすべてを超えて大である」ような端的な大きさが得られることはない。カントが言うように「大きさの数学的評価に関しては、最大の大きさがまったく存在しない」のに対し、「大きさの直感的評価に対しては、もちろん最大の大きさが存在する」。そのメカニズムは次の通りである。

ある量を直観的に構想力のうちに取り入れ、それを尺度として用いるには、つまりそれを数による大きさの評価のための単位として使用するには、この能力〔＝構想力〕の二つのはたらきが必要である。把捉（*apprehensio*）と総括（*comprehensio aesthetica*）がそれである。把捉に関してなら、なんら困難はない。把捉についてならば、この能力は無限に進むことができるからだ。いっぽう総括をめぐっては、把捉が進むにつれて次第に困難となり、やがてそれは極大量に達する。この極大量が、大きさを評価するさいの、直感的に最大の基本尺度なのである。たとえば把捉がそこまで達して、はじめに把握された感官直観の部分表象が、構想力のうちで消滅しはじめたとしよう。たとえそのような場合でも、同時に構想力がさらに多くの部分表象の把捉へと進んでいけば、構想力は後者において獲得するのと同じだけのものを、前者において喪失することになる。かくして、総括のうちには最大の大きさが存在することになり、構想力はそれを超えてさらに先へと進むことはできなくなるのである。〔5〕

カントは、所与の対象を量として把握するさいに、ある一定の範囲を視野におさめる「把捉（Auffassung）」と、その諸部分を全体として包摂する「総括（Zusammenfassung）」という二つの能力がはたらくと考えている。「無限に進む」ことのできる把捉には限界がないが、総括には一定の限界がある。そして、あらゆる表出にとって「ほとんど大きすぎる」「巨大な」対象を目にし、その「総括」が不可能になるとき、われわれの心のなかに生じるのが「数学的崇高」である、という。

前節で論じたことをふまえて言えば、カントがここで述べているのは、数学的と力学的という二種類の崇高があるということではない。慣習的に「数学的崇高」と「力学的崇高」という言いかたが定着しているとはいえ、原文の章節に見えるのは、それぞれ「数学的に‐崇高なるものについて（Vom Mathematisch-Erhabenen）」および「自然の、力学的に‐崇高なるものについて（Vom Dynamisch-Erhabenen der Natur）」という言いかたである。だとするなら、これらの表現が意味しているのは、（自然の）崇高が「数学的に」考察される場合と、「力学的に」考察される場合がある、ということにほかならない〔6〕。

『純粋理性批判』における「数学的」と「力学的」の対立をふまえるなら、自然の対象が「数学的に」崇高であるという判定は、たがいに必然的な帰属関係にない「多様なもの」が総合される場合に生じる。これが「対角線によって分かたれた正方形が作る二つの三角形」であればなんら問題はないのだが、かりにこの三角形が数千、数万という数になっていけば、構想力はその諸部分を把捉しては失い、把捉しては失い、というプロセスを繰り返さざるをえなくなる。「数学的崇高」とは、こうした「総括の不可能性」のことであると言いかえても差し支えあるまい。

まとめると、カントの「数学的崇高」のモデルに倣うかぎり、数はいかに大きなものであっても崇高なものとはなりえない。カントその人が、崇高なものは数概念によってもたらされることはない、といちどならず明言しているのはそのためである。はじめに予告しておいたように、カントの「数学的崇高」が明らかにしたのは、数はいかに巨大なものであっても崇高なものとはなりえないという事実なのである[7]。

巨大数の表象(1)——宮島達男、生と死のアレゴリー

しかし、ここにはある転回の契機を見いだすこともできる。

なるほどカントが言うように、われわれの構想力(想像力)に、同時に表出可能な大きさの「最大量」が存在することは事実である。そしてカントの「数学的崇高」は、構想力がこの最大量に達したときに感じとられるものであった。たほう、われわれの悟性(知性)にとって、数的に最大の大きさというものは存在しない。なぜなら「悟性はいかなる障害にも出会うことなく、ごく小さなものや大きなものを、数的な統一[=単位]によって測定しうる」からだ[8]。さきほどの「n」と「n+1」の例を思い出してみてもよいだろうが、われわれはグーゴル(10^{100})やグーゴルプレックス(10^{googol})のような数を見ても、構想力がダメージを受けると感じることはないだろう。それは、われわれがこの巨大数を悟性によって認識しているからである。

それなら、もしもこれらの（巨大な）数が、感性的に、われわれの構想力をその限界へ近づけていくとしたらどうだろう。カントが崇高なものの埒外においた数とは、悟性によって認識された数、すなわち「数概念」であった。しかしそのいっぽうで、われわれが数をひとつのイメージとして、すなわち「数表象」として認識していることもまた事実である。

この「表象としての数」を具体的にイメージするためには、いわゆる「カウントダウン」について考えてみるのが存外有効かもしれない。一分や一秒につき「1」、あるいはそれ以外の任意の速さによってみるみる数を減らしていく、あのカウントダウンのことである。刻一刻と変化していく目の前の数を概念として捉えるなら、そこで把握されるのはそれぞれの瞬間における数と、せいぜいその数字の背後にある遷移の規則にすぎまい。しかし、おそらく誰もが――現実に、もしくは映画やテレビドラマなどを通して――経験したことがあるように、周囲の状況などお構いなしに淡々と数を減らしていくカウンターがわれわれのうちに喚起するのは、人間がけっして逃れることのできないタイム・リミット――たとえば「死」――であるだろう。

宮島達男（一九五七―）は、一九八〇年代後半よりＬＥＤ（発光ダイオード）を用いた作品を数多く手がけてきた現代美術家である。展示空間を丸ごと用いる宮島のインスタレーションは、ほとんどの場合、一様に暗闇に包まれている。かつ、その空間に足を踏み入れると、暗闇のなかで明滅する無数のデジタルカウンターが、１から９までの数を延々と表示しつづけている。

たとえば、つい先ごろ閉館した原美術館（東京都品川区）には、宮島達男の初期作品である《TIME LINK》（一九八九／一九九四）が常設展示されていた。元は男性用トイレであったというこの狭小空間では、大きくカーブのかかった壁面に並んだデジタルカウンターが、暗闇のなかで1から9までの数を表示しつづけている。上下二段に並べられた赤と緑の数字の進みは一つひとつ異なるため、いちどとして同じ数字が並び合うことはない。個々のLEDが示す二桁の数そのものは——そのカウンターのサイズも含めて——「巨大」でこそないが、直線上に並べられた数百にもおよぶ数字の明滅は、それを見る者のうちに冷ややかな恐怖にも似た印象を惹起する。

また、先ごろ三年間の休館を経てリニューアルした東京都現代美術館（東京都江東区）には、これよりも一回り大きな《Keep Changing, Connect with Everything, Continue Forever》（一九九八）[fig. 7] という作品が収蔵されている。宮島の作品には珍しく、二八八×三八四×一二センチメートルという、大ぶりの絵画とそう変わらないサイズの同作品には、約二〇〇〇の赤色LEDが用いられているという（目測で数えるかぎり、LEDの数は四八×三六＝一七二八であるように見えるが、ひょっとしたら誤差があるかもしれない）。こちらのデジタルカウンターは1から9までの数を異なるスピードで刻み、0のときは暗転する。個々のカウンターがそれぞれ固有のリズムをもち、生物のごとく生まれては消えてゆく——直線状の《TIME LINK》とはまた異なり、二次元の平面に規則正しく並べられたこれら数の群れは、やはりその機械的な明滅により、通常の平面作品にはない突き放すような印象を与える。

これらLED作品のひとつの到達点とされるのが、二〇世紀末のヴェネツィア・ビエンナーレで発表された《MEGA DEATH》(一九九九/二〇一六)である。暗がりの空間に約二〇〇〇の青色LEDを散りばめた同作品は、さきほどの《Keep Changing, Connect with Everything, Continue Forever》と同じく、1から9までの数を異なる速さで延々と刻みつづける巨大なインスタレーションである。ただしこの作品でひとつ異なるのは、観客が会場内のあるセンサーに触れると、すべてのカウンターが消え、しばしのあいだ完全な暗闇が現われることだ。それからしばらく経つと、カウンターがまた新たに1、2と数字を刻みはじめ、やがて元のような数の喧騒が立ち現われてくる。

ここまでの作品タイトルからもうかがえるように、宮島達男のLED作品において、一定のリズムで数を刻み、ときに暗転するデジタルカウンターは、ほかならぬ生と死の寓意である。先に見た《TIME LINK》と《Keep Changing, Connect with Everything, Continue Forever》とでは、数字が直線的に並べられているか、平面的に並べられているかの違いこそあるが、それらはいずれも年齢や寿命を異にしながら同じ時空間を共にする、われわれ人間社会の実相を思わせる。《MEGA DEATH》にいたっては、作家本人がいたるところで言葉にしているように、有史以来「もっとも多くの人が殺された」世紀としての二〇世紀を総括するためにつくられたものである[9]。

その意味で言えば、宮島達男の作品になにがしかの「崇高さ」があるとすれば、それは数そのものというより、無数のデジタルカウンターが絶え間なく変化する、その光景からもたらされるものであるだろう。それは静的に表された数（の概念）とは異なる、動的な数（の表象）である。そして、その崇高な感覚を下支えしているのは、暗闇のなかで明滅する生と死への暗示なのである。

巨大数の表象（2）――池田亮司、0／1のサブライム

同じく、ここで想起しておくべき作家のひとりに池田亮司（一九六六―）がいる。一九九〇年代にプロデューサー／エンジニアとしてダムタイプの音響に関わり、以来ソロでも音楽家／美術家として数多くの作品を発表してきた池田は、二〇〇六年より「datamatics」という新たなシリーズに着手する。それは、この世界の隅々にまで行きわたる不可視のデータを、さまざまなかたちで表象する可能性を探るためのプロジェクトであった[10]。

なかでも《data.tron》（二〇〇七）は、山口情報芸術センター（YCAM）をはじめ、これまで世界各地でたびたび公開されてきた、同シリーズを代表する作品である。これはほかの作品と同じく、モノクロームの画面と電子音からなるサイズ可変のインスタレーションだが、公式サイト上の作品データによれば、推奨サイズは八×六メートルときわめて大きい。宮島作品に似て、こちらの場合も0から9までの数字が高速で遷移していくのだが、その数量も速度も人間の認識能力をはるかに超えており、われわれがその全

貌を把握することはどうあっても叶わない。二〇一五年に大阪・中之島の堂島リバービエンナーレに出品された《data texture》の場合、そのサイズは一〇×二二メートルとさらに巨大である。なおかつ、同作品では高速の演算を匂わせるクリック音に合わせて画面が静止することがあり、膨大なデータの流れとして視覚化されている巨大な数(計算)がときおり垣間見えることもポイントである。

こうした「純粋なデータ」の物質化を試みた「datamatics」の方向性は、二〇〇八年に始まった「test pattern」[fig. 8]にも継承されている。同シリーズはテクスト、音楽、写真といったさまざまなデータを、0と1のバイナリーなパターンに変換するものであるが、《data.tron》をはじめとする「datamatics」シリーズといちじるしく異なるのは、その——ある意味では暴力的と言ってよい——表出形式が、人間の知覚を試練にかけるものへと転じていることだ。

二〇一四年に東京・青山のスパイラルホールで発表された《test pattern [nº6]》は、四つのプロジェクターと八つのスピーカーを用いた巨大なインスタレーション作品である。この作品もサイズ可変だが、公式ウェブサイトによれば、こちらの推奨サイズも一八×五・四×六メートルときわめて大きい。そして観客は、プロジェクターにより投影された空間の外側から、あるいは内側から、迫りくる映像と音響を浴びるように体験することになる。——そう、《test pattern [nº6]》の場合、われわれにできるのはその光と音を「浴びる」ことだけであり、そのパターンに有意な意味を見いだすことはほとんど叶わない。宮島達男の作品において、数がなんらかの——この場合は生と死の——アレゴリーとして機能していたとすると、池田亮司の作品において、数はあらゆる意味や目的を剥奪された、かぎりなく純粋な視聴覚データを発生させるプログラム以上のものではない。

しかしそれこそ、数が概念としてではなく、表象として崇高なものへと至るための唯一の方法なのではないだろうか。前者の「datamatics」ではいまだ数が数として表象されていたが、後者の「test pattern」では数が0と1からなるほとんど純粋な視聴覚的なデータへと変換されている。この単純なパターンこそが、われわれが感性的に獲得しうるデータを束ねる能力を——すなわちカントの語彙でいえば「構想力」を——おそるべき試練にかける。おそらく《data texture》や《test pattern [n°6]》を体感した者であれば、そこにカントが崇高について述べたような、強烈な「魅惑」と「反発」の二重性が見いだされることに同意するだろうし、すべてをバイナリーな0／1に還元していくその美学のなかに、伝統的に崇高と結びつけられてきた「単純さ」を見いだすことも困難ではないだろう。ゆえにこそ、池田亮司の作品は、しばしば現代における「崇高の美学」を例証するものとして扱われてきたのだった[11]。

本章の目的は、かれらの実践のうちに、かつてカントが道を閉ざした「数学的崇高」の他なる可能性を見いだすことであった。本章の前半で明らかにしたように、数は概念であるかぎり、けっしてその限界には到達しえない。しかし、これを別様にとらえるなら、表象としての数はそのかぎりではないとも言えよう。とはいえ、(巨大)数が数式という所与の表象様式を逸脱することはめったにない。本章の後半で紹介したのは、それを美的な方法によって見事にほかの様式へと変換せしめた、例外的な二人のアーティストの実践である。いずれにせよ、かりに(巨大)数の崇高さというものがありうるとしたら、それを可能にするのは感性的対象としての数でしかありえない。そして(巨大)数の感性的表象をめぐる理論は、おそらくいまだ端緒についたばかりである。

1　KU 244. 本章におけるカント『判断力批判』の参照・引用頁数はすべてアカデミー版全集による（巻数は省略）。邦訳はおもに『判断力批判』（熊野純彦訳、作品社、二〇一五年）に依拠したが、訳文にはことわりなく手を加えている。

2　KU 247.

3　KRV B202. カント『純粋理性批判』の参照・引用頁数についても右に同じ。邦訳はおもに『純粋理性批判』（熊野純彦訳、作品社、二〇一二年）に依拠したが、訳文にはことわりなく手を加えている。

4　KU 248.

5　KU 251-252.

6　たとえばジャン＝フランソワ・リオタールは、『崇高の分析論』（一九九一）のなかで「数学的崇高」について論じはじめるさい、この事実をまっさきに——なおかつ、同書のなかで複数回にわたり——指摘している。Jean-François Lyotard, *Leçons sur l'Analytique du sublime: Kant, Critique de la faculté de juger,* § 23-29, Paris: Galilée, 1991, p. 125.（ジャン＝フランソワ・リオタール『崇高の分析論——カント『判断力批判』についての講義録』星野太訳、法政大学出版局、二〇二〇年、一四三頁）

7　ポール・ド・マンは「カントにおける現象性と物質性」（一九八三）のなかで、「数学的崇高」の源泉を「数」ではなく「延長」のうちに見ている。「しかしながら、崇高とは「大きい」のではなく「極大」そのもの、つまり「それにくらべると他のあらゆるものが小さい」ということである。したがって、それは感覚によってはけっして捉えることができない。だが、それは純粋な数でもない。というのも、数の領域には「最大」といったものは存在しないからである。崇高とは、あるべつの経験の秩序に属するものであり、数というよりはむしろ延長に近い。カントの言葉で言えば、意識がひとつの直観のうちにとらえうるかぎりにおける（so weit das Gemüt sie in einer

Anschauung fassen kann）「絶対的な巨大さ」（die Größe――あるいはむしろ、この章節のはじめのほうに登場するdas Größte schlechthin）である。こうした現象化は数からではなく、延長からしか発生しえない」。Paul de Man, "Phenomenality and Materiality in Kant," in *Aesthetic Ideology*, Minneapolis: University of Minnesota Press, 1996, p. 75.（ポール・ド・マン「カントにおける現象性と物質性」『美学イデオロギー』上野成利訳、平凡社、二〇〇五年、二三六―二三七頁）

8 Jean-François Lyotard, *Leçons sur l'Analytique du sublime*, *op. cit.*, p. 129.（前掲書、一四八頁）

9 たとえば、オーストラリア現代美術館（ＭＣＡ）で行なわれた宮島達男の個展（二〇一六年一一月三日―二〇一七年二月五日）と、それにさいして収録された《MEGA DEATH》にかんするインタビュー動画を参照のこと。https://archive.mca.com.au/miyajima/miyajima-artworks/mega-death/

10 各シリーズの概要については、作家のウェブサイトを参照のこと（http://www.ryojiikeda.com/）。なお、池田亮司はかねてより数学に強い関心を寄せており、池田と親交のある数学者ベネディクト・グロスによれば「アマチュアとしては驚くほど数学への造詣が深く、その知識は本当に膨大」であるという（『池田亮司　+/-［the infinite between 0 and 1］』東京都現代美術館、二〇〇九年、八一頁）。その知識の一端は同書所収の浅田彰との対話でも披露されているが、ここではあくまで作品における数表象に照準を合わせているため、池田亮司その人をめぐる議論には深く立ち入らない。

11 浅田彰は、同じくダムタイプに関わった高谷史郎と池田亮司の作品を、しばしばカント的な「美」と「崇高」との対比に重ね合わせつつ論じている。次を参照のこと。『池田亮司　+/-［the infinite between 0 and 1］』前掲書、一〇一頁。

fig. 1
カスパー・ダーヴィト・フリードリヒ《海辺の僧侶》(1808–10年)
Caspar David Friedrich, *Der Mönch am Meer*, 1808–10, oil on canvas, 110 cm × 171.5 cm, Alte Nationalgalerie, Berlin, Germany.

fig. 2
J・M・W・ターナー《宵の明星》(1830年頃)
Joseph Mallord William Turner, *The Evening Star*, c. 1830, oil on canvas, 91.1 cm × 122.6 cm, The National Gallery, London, England.

fig. 3
ジャクソン・ポロック《ザ・ディープ》(1953年)
Jackson Pollock, *The Deep*, 1953, oil and enamel on canvas, 150.7 cm × 220.4 cm, Centre Georges Pompidou, Paris, France.

fig. 4
ロバート・スミッソン
《スパイラル・ジェッティ》
（1970年）
Robert Smithson,
Spiral Jetty, 1970,
Great Salt Lake,
Utah, USA.

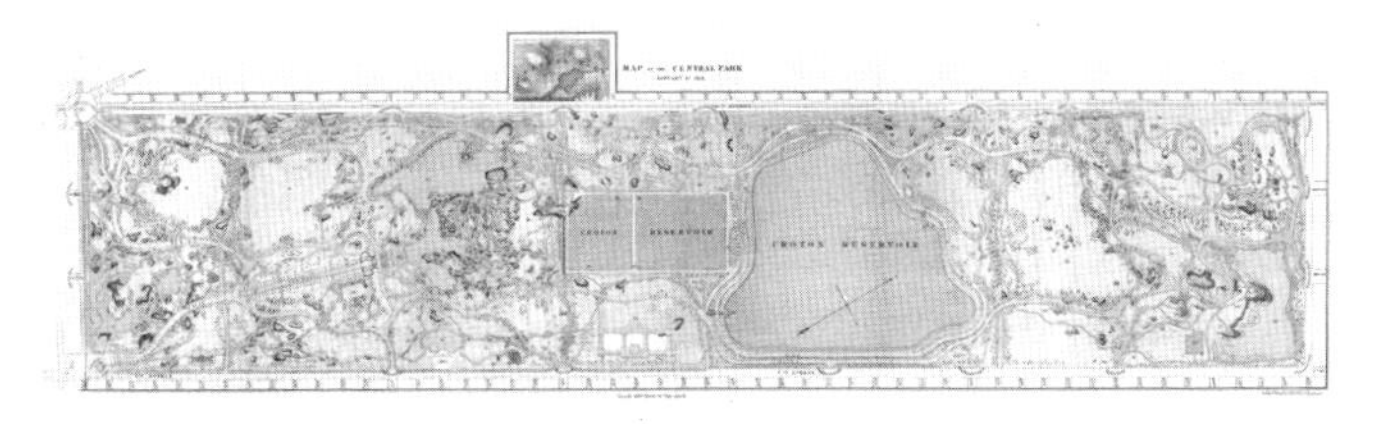

fig. 5
セントラル・パークの地図（1870年1月1日）
Map of the Central Park, January 1st, 1870,
Thirteenth Annual Report of the Board of Commissioners of the Central Park,
Evening Post Steam Presses, New York, USA, 1870.

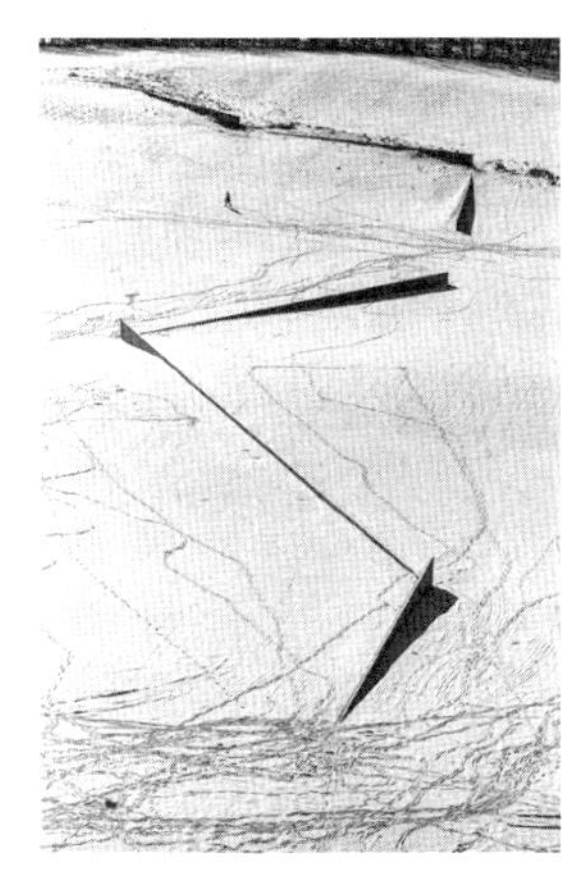

fig. 6
リチャード・セラ《シフト》（1970–72年）
Richard Serra, *Shift*, 1970–72,
King City, Ontario, Canada.

fig. 7
宮島達男《Keep Changing, Connect with Everything, Continue Forever》
（1998年、東京都現代美術館）
Tatsuo Miyajima, *Keep Changing, Connect with Everything, Continue Forever*, 1998,
LED Works, 288 cm × 384 cm, Museum of Contemporary Art Tokyo, Japan.
写真提供：東京都現代美術館/DNPartcom

fig. 8
池田亮司《test pattern [nº 1]》（2008年、山口情報芸術センター）
Ryoji Ikeda, *test pattern [nº 1]*, 2008, Audiovisual Installation,
460 cm × 146 cm (suggested space: 150 cm × 600 cm × 150 cm),
Yamaguchi Center for Arts and Media (YCAM), Japan.
撮影：福永一夫　写真提供：山口情報芸術センター（YCAM）

第Ⅱ部　関係

4　ハイブリッドな関係性

われわれを取り巻く市民社会の成立以来、おそらく今日以上に「関係性」という用語がひろく問いただされた時代は、かつて存在しなかっただろう。「関係性」(あるいは「つながり」)という言葉は、それじたいとしては何の変哲もない――おもに人間どうしの――関係一般を意味する抽象名詞にほかならない。だが、前世紀から今世紀への変わり目をひとつの転換として、これらの言葉がある独特な負荷とともに用いられる場面は、それまでとは比較にならないほどに増加した(国立国会図書館の蔵書検索システムによると、タイトルに「関係性」を含む日本語の書籍三四八点のうち、一九九五年以前に刊行された書籍はわずか九点にすぎない)。言いかえれば、この約二〇年のあいだに、それまでただの抽象名詞にすぎなかった「関係性」という言葉は、ひとつの「概念」へと転じたのである。

それまで何気なく用いられていた言葉がある「概念」へと転じるのは、従来その内実を支えていた基本的な前提が崩れるときである。先にも述べた通り、「関係性」という言葉は、基本的にはわたしたち一人ひとりが他人とのあいだに結ぶ関係を総体的に示すための抽象名詞にすぎない。しかしながら、かつて社会のなかで漠然と共有されていた関係のありかたが崩れ、それが新たな――あるいは多種多様な――関係によって置きかえられるとき、ひとはその内実についてあらためて問うことを迫られる。

本章では、おおよそ一九九五年から二〇一五年までの「関係性」の変容を、おもに三つの段階に分けて見ていくことにしたい。また、そこでは、今日の芸術がそのような関係性の変容といかなるしかたで関わっているのかという問題にも、可能なかぎり触れていくことにする。なお、これから記述する内容は、先進諸国に共通するグローバルな現象としても敷衍可能なものだが、さしあたりここで想定しているのは日本の状況である。そのため、以下で挙げる具体例も、おもに日本に特殊な事例が多くを占めていることを、あらかじめお断りする。

地域共同体の変容

戦後の日本における地域共同体の変容については、都市化、郊外化、過疎化など、これまでにもさまざまな角度からひろく論じられてきた。だが、とりわけ「平成の大合併」とよばれる政府主導の自治体再編事業によって、日本における地方自治のありかたは、この二〇年間で大きく変化した。現在の日本の市町村数は、合併特例法をはじめとする過去二〇間年の政策によって、およそ半数にまで減少している。近年、地域の「復興」や「活性化」をめぐる話題が耳目を集めるようになった背景には、何よりもこうした政治・経済的な状況が存在していると言えるだろう。

そのような状況と並行して次第に露呈してきたのが、それまでにもゆるやかに進行していた地域共同体における人々の関係性の変容である。つまり、組合や自治会といった小規模なものから、市町村のような比較的大きな共同体にいたるまで、従来どちらかと言えば強固な(=非流動的な)ものとして存在していた地域共同体に対するイメージは、この約二〇年のあいだに顕著な変化を見せている。現在わたしたちが身を置いているのは、それまで確固たるものとして存在していた地域共同体の所与性がいったん揺らぎ、それが部分的にではあれ、ふたたび新たなものとして再構築されつつある段階である。

それは、より具体的に言えば次のようなことだ。すなわち、従来の地域共同体は、家族を中心とする共同体の延長線上に「あらかじめ」存在するものであり、それは俗に「地縁」とよばれる関係性によって固定されているのが常であった。しかしそれは、いくつかの複合的な要因によって生活環境の流動化が進んだ結果、今日の日本社会においてかならずしも所与のものではなくなっている。そして、先に見たような「大合併」の背景でもある地方の疲弊や過疎化といった問題に対して、地域の復興がふたたび強く唱えられているというのが、今日のわたしたちが身を置く状況である。

近年、芸術と地域の関わりがしばしば関心を集めるトピックとなっているのも、こうした大きな変化のなかで理解する必要があるだろう。二〇世紀後半にひろく見られた公立美術館やパブリックアートの乱立は、いまだ「地域」が所与のものとして存在していた時代の文化政策であった。だが、近年急速に数を増しつつある地方での芸術祭やアートプロジェクトは、いったんそのような所与性が失われた果てに、各々の地域に新たな関係性やつながりをもたらすための呼び水としての役割が期待されている。いわばそこでは、観光客の増加をはじめとする短期的な経済効果のみならず、かつての地域共同体のありかたとは異なる新たな関係性を創出し、それを活性化するためのひとつの方策としての「芸術」が求められているのだと言えよう。

流動化する共同体

以上と相補的な現象として、グローバル資本主義とインターネットによる流動的な関係性が存在感を増してきたことも、この二〇年間の社会情勢を考えるうえで語り落とすことのできない変化だろう。一九九〇年代半ばより日本のインターネットユーザーは急増し、その後も通信環境の漸次的な進歩と改善が繰り返された結果、今日のわたしたちは——携帯電話回線を含めた——インターネット環境の全面化という状況下で生を営んでいる。

それが意味するのは、たんにわたしたちを取り囲む情報環境が変化したということにはとどまらない。先に見た地域共同体の疲弊や弱体化となかば相補的なかたちで、近年の日本社会はみずからの物理的な環境に大きく左右されることのない、無数の遠隔的な共同体をウェブ上に構築することになった。インターネット上のソーシャルネットワーキングサービスもまた、やはりそうした共同体のプラットフォームのひとつである。それが家族や地域のような共同体と異なるのは、そこにアクセスする人々が、みずからの身体的、地理的な条件に拘束されることなく、新たな関係性のなかに身を置くことができるという点にある。このことが意味するのは、しばしばその成員間の関係が固定化されがちな従来の共同体とは異なる、無数の流動的な共同体が同時多発的に生じたということである。従来であれば物理的に接触可能な範囲をベースに構築されていた強固な関係性は、これらの情報技術の後押しによって、より手軽かつ遠隔的な関係性へと拡散していった。

今日の芸術実践において、一定の集団や共同体をつくり上げるタイプの作品がひとつのスタンダードになりつつあるのも、やはりこうした社会的な趨勢と無縁ではないだろう。家族や地域共同体に支えられた関係性が失われ、高度な情報技術に支えられた流動的な関係性がそれに置きかえられていくなかで、人々の関係性の変容に注目する、あるいはみずから参加者と新たな関係性をつくり上げるタイプの作品が存在感を増してくるのは、ある意味で当然の帰結だからである。

よって、今日のわたしたちの日常を構成する関係性は、とりわけこの二〇年においてかつてなく多様化したと言えるだろう。先に見たような政治・経済・技術的な要因によって、血縁や地縁に根ざしたかつての関係性とは異なる、より多様で流動的な関係性が、いまやわたしたちの生を覆い尽くしつつあるのだ。

しかしそれは、わたしたちが他人とのあいだに結ぶ関係性が、今後もさらに流動化しつづけるということを意味しない。先にも触れたように、現在の地域共同体は以前とは異なるしかたで再編され、芸術をはじめとするさまざまな要素を取り込みながら、また新たに再構築されつつある段階にある。他方、それを補完してきたインターネット上の共同体についても、それが今後さらに関係の流動化を促進するということは、昨今の状況を見るかぎりおよそ考えられない。今日のわたしたちが直面しているのは、みずからが生まれ育った環境によって形成される関係性をインターネットが乗り越える、といった単純な図式ではなく、むしろ後者が前者の関係性を補完し、さらにそれを強固なものにしつつあるという事態だからである。

インターネットがもたらした関係の流動化は、実名をベースとするソーシャルネットワーキングサービスや、スマートフォンなどによるアプリケーションへの常時接続が一般的なものとなった現在、ふたたび固定化される方向へとむかっている。つまりそれは、しばしば「しがらみ」とよばれるような人間関係の煩わしさからの解放へとむかうどころか、むしろそのような関係に常時アクセスが可能な――それゆえにしばしば「息苦しい」とすら言われる――関係の「再」固定化へとむかっているのだ。

しかしいずれにせよ、今後わたしたちは地域に深く根ざしたかつての関係性に完全に立ち戻ることはないし、反対に、ますますその範囲を拡大しつつある遠隔的な通信網によって、際限なくみずからの関係性を流動化させていくこともないだろう。現在わたしたちが直面しつつあるのは、近さと遠さ、親密さとよそよそしさの両者が複雑に折り重なった、複合的(ハイブリッド)な関係性である。したがってそこでは、かつてインターネットの黎明期にまことしやかに囁かれたような「リアルな」関係と「ヴァーチャルな」関係が共立しているのではない。過去数十年の日本社会における関係性は、以上に見てきたような家族や地域に根ざした非流動的な関係性から、通信技術に支えられた流動的な関係性を経て、複数の距離や速度によって織り成されるハイブリッドな関係性へと変容したのである。

5　ソーシャル・プラクティスをめぐる理論の現状——社会的転回、パフォーマンス的転回

ソーシャル・プラクティスの現在

ここ二〇年ほどの現代美術を特徴づけるもっとも大きな潮流をひとつ挙げるとすれば、それは「対話」「参加」「協働」「コミュニティ」といった、社会的な含みをもつさまざまな形容をともなった「アート」の台頭であると言えるだろう[1]。事実、今日のアーティストたちの実践は、美術館やギャラリーといった近代的な美術制度を支えてきた空間を飛び出し、いまやかつてなくその外へと拡散しつつある。芸術という制度の内／外にいる人々との対話やコミュニケーションを土台とするこれらの実践は、論者によって「参加型芸術（participatory art）」や「対話型芸術（dialogical art）」といったさまざまな名称でよばれるが[2]、ここではもっとも包括的な呼称として、さしあたり「ソーシャル・プラクティス」を採用する（その意図については後述する）。

ごく大づかみに言えば、このような流れは、一九九〇年代から二〇〇〇年代にかけて興った複数の潮流が合流した結果として（すくなくとも見かけ上は）生じていると考えられる。本章はソーシャル・プラクティスをめぐる理論の整理をおもな目的としているが、それに先立って、この種の議論において繰り返し言及

される代表的な言説・事例をごく手短に紹介することから始めたい。以下の内容は、すでにこの分野に馴染みのある読者にとっては周知の事柄であるかもしれないが、後述するリレーショナル・アートとソーシャリー・エンゲイジド・アートがしばしば一緒くたに語られる状況に鑑みると、このような整理にはいまだ一定の意義があると考えられる。それは、ここで話題にするソーシャリー・エンゲイジド・アートの核心をなすものが何であるかを考えるうえでも、おそらく一定の貢献をなしうるだろう。

リレーショナル・アート

第一に、この種の議論においてかならず言及されるもののひとつに、一九九〇年代後半に「リレーショナル・アート」（関係性の芸術）とよばれた作品群が挙げられる。この言葉は、かつてキュレーターのニコラ・ブリオー（一九六五—）が企画した「トラフィック」（CAPCボルドー現代美術館、一九九六年）において用いられたものであり、大まかに言えば、それは作家・作品・鑑賞者のあいだの「関係」に重きを置く作家たちを名指すための言葉として登場したものである。

この用語は、同じブリオーによる『関係性の美学』（一九九八）の波及力も手伝って、一九九〇年末から二〇〇〇年代にかけて、ヨーロッパを中心に広く人口に膾炙した。ようするにそこでは、人々の静的な鑑賞の対象となる「作品」をただ制作するのではなく、むしろその制作・鑑賞・体験のプロセスにおいて、人々のあいだに新たな「関係」をつくり上げることを志向するアーティストに注目が集められたのである。結果、その先駆的な存在としてキューバ生まれの物故作家であるフェリックス・ゴンザレス＝トレス（一九五七―一九九六）が、さらに当時における新たな世代の作家として、マウリツィオ・カテラン（一九六〇―）、リアム・ギリック（一九六四―）、フィリップ・パレーノ（一九六四―）らが一躍脚光を浴びることになる。

ブリオーが同書で定義するところによれば、リレーショナル・アートとは、美術館やギャラリーをはじめとする「自律的な」空間ではなく、むしろ「人間関係とその社会的なコンテクスト」を出発点とするような芸術実践のことであるという[3]。つまり、そこでは芸術の自律性というモダニズムの前提そのものを相対化する視座が――部分的にではあれ――示されたのであり、なおかつ従来のアトリエでの制作や、ギャラリーでの展示に終始するのではなく、そこから積極的に外部へとむかうような作品が称揚されることになったのである。

リレーショナル・アートをめぐるブリオーの理論には一定の留保が必要であるとはいえ[4]、以上のような問題意識は、『関係性の美学』などで取り上げられた作家の一部には確かに当てはまるものである。同書に登場するアーティストのひとりであるカールステン・ヘラー（一九六一―）は、科学者としての関心から出発し、これまで鑑賞者の参加や行動に基づくインスタレーション作品を数多く発表してきた。ヘラーはキール大学で農学の博士号を取得後、一九九〇年前後にアーティストとしての活動を開始する。もともと昆虫学者であったヘラーは、当初の関心であった昆虫や植物をテーマとする作品には飽き足らず、のちに鑑賞者(人間)の参加や行動に焦点を当てた作品を数多く発表する。ヘラーの作品は、おもにギャラリーや美術館で展示されるという点では慣習にのっとったものだが、その多くは鑑賞者とのなんらかのインタラクションを想定している。二〇一五年にロンドンのヘイワード・ギャラリーで行なわれた大規模な個展は、そうしたヘラーの活動の集大成とよべるものであり、そこでは会場に複数の入口や順路を用意するなど――その個展のタイトル「Decision」が示すように――いたるところで来場者の主体的な「決定」を迫る、実験的な展示方法が採用されていた。

他方、アメリカの『オクトーバー』に代表される旧来の美術批評の影響力が弱まっていった一九九〇年代末から二〇〇〇年代にかけて、この「リレーショナル・アート」という言葉そのものが当初の文脈を離れ、ひとり歩きしていったことも事実である。この点については、リレーショナル・アートという標語が、それに先立つ商業的な芸術、すなわち一九九〇年代の「ヤング・ブリティッシュ・アーティスト(YBAs)」に対するオルタナティヴとして出現したという歴史的事実を、さしあたり振り返っておく必要があるだろう。

一九九〇年代前半のヨーロッパにおける美術市場は、ダミアン・ハーストをはじめ、ロンドンのゴールドスミス・カレッジの出身者を中心とするヤング・ブリティッシュ・アーティスト(YBAs)が、サーチ・ギャラリーの支援を得て大きな商業的成功を収めた時代として記憶されている。かれらは、形式的には絵画や彫刻をはじめとする伝統的なメディウムを用いていたこともあり、結果的にマーケットで大きな成功を収めることができた（なおかつそれが、政府主導の「クール・ブリタニカ」政策を後ろ盾としていたことも見落としてはならない）。そうした当時のイギリスを中心とする商業主義的な傾向に対して、大陸ヨーロッパではプロセス、プラットフォーム、コラボレーションなどを重視するアーティストが現われはじめた。両者のあいだに直接的な因果関係はないにせよ、ブリオーによる「リレーショナル・アート」という言葉は、そうした作家たちをまとめあげるための標語として伝播していったという側面がある。事実、ブリオーが手がけた一九九六年の「トラフィック」では、過去の前衛的な参加型芸術や、ギィ・ドゥボールの『スペクタクルの社会』の問題意識を継承する作家たちが多く取り上げられた。そこでは、コミュニケーションのためのプラットフォームの形成や作家間のコラボレーションが重視され、かつ、総じてこれらは「反商業主義」の側に位置づけられたのである。

言いかえれば、「リレーショナル・アート」や「関係性の美学」という言葉は、それに先立つ商業主義的な芸術に対するオルタナティヴとして出現した。ゆえにそれは、一九六〇年代から今日までの商業主義と反商業主義の交代運動をしるしづける美術史上のひとつのシーンとして、歴史化され、相対化される段階にある。以上が、今日におけるリレーショナル・アートのごく標準的な理解であり、こうした歴史的文脈を見すごすならば、この語はたんに汎用性の高い「関係」指向型の作品の総称として陳腐化していくことを免れないだろう[5]。

ソーシャリー・エンゲイジド・アート

他方、同じく前世紀末から今日にかけて、「ソーシャリー・エンゲイジド・アート」（社会関与の芸術）や「ディアロジカル・アート」（対話型芸術）とよばれてきた潮流も、今日の芸術実践を考えるうえで無視することのできないものだ。むろん、政治や経済をはじめとする社会的現実と深く関わろうとするアーティストは、それ以前にも数多く存在していた。しかし近年では、南北アメリカや東アジアを中心に、そもそも作品という最終的なアウトプットを目的としないアーティストの実践が日増しに目立ちつつあることも確かである。かれらは、時に既成の芸術のフォーマットそのものを否定し、むしろさまざまな社会的現実のなかに生きる人々との協働を試みるのだ。

それまで世界各地で行なわれてきた多種多様な活動をまとめあげ、それを「ソーシャリー・エンゲイジド・アート」という名のもとに広く知らしめたのは、ニューヨークを拠点とするNPO法人「クリエイティヴ・タイム」の功績によるところが大きい。同法人が組織した「リビング・アズ・フォーム（Living as Form）」という展覧会、および同名の書籍を通じて、おおよそ一九九一年から二〇一一年までの二〇年間における前述のような実践は、いわば一望のもとに見通されることになった（ただし、「ソーシャリー・エンゲイジド・アート」という言葉は同書の副題にこそ見られるものの、その序文ではこれに類するさまざまな用語が列挙され、その後は「ソーシャル・プラクティス」という表現が頻繁に用いられるなど、ここでもその呼称は安定していない)〔6〕。

近年、日本でもこの種の実践はひろく注目を集めつつある。二〇一四年には、前述のクリエイティヴ・タイムによる「リビング・アズ・フォーム」の日本巡回展が開催され、二〇一五年には本分野の第一人者であるパブロ・エルゲラの著書(邦題は『ソーシャリー・エンゲイジド・アート入門』)が刊行されたことも記憶に新しい〔7〕。

ところで、直訳すれば「社会関与の芸術」となるこの言葉が、原音を踏襲したカナ表記によって流通している背景には、おそらくそれなりの事情があると思われる。なぜならこの「socially engaged」という言い回しには、一般的に日本語の「関与」よりもはるかに強いニュアンスが込められているからだ。たとえばそれは、かつて哲学者のサルトルが広く知らしめた「アンガージュマン〔仏〕/エンゲイジメント〔英〕(engagement)」という言葉がそうであるように、社会問題に積極的に「寄与」し、そこに一定の「責任」を負うというニュアンスが含まれている。ソーシャリー・エンゲイジド・アートにおける「engaged」という言葉が含意するのは、たんに社会に「関わる」というほどの——つまり中庸を得た——ものではなく、具体的に特定の社会集団にコミットし、そこになんらかの変革をもたらすことなのである。

事実、その代表的な人物のひとりであるタニア・ブルゲラ(一九六八—)は、アーティストとしての立場から、キューバやアメリカにおける政治問題に積極的に関わっている。彼女は、みずからが生まれ育ったキューバの政治問題に関与するほか、二〇一一年にはニューヨークで《移民運動インターナショナル》〔fig. 9〕というオフィスを立ち上げ、移民たちの労働環境の改善や、子どもたちへの教育機会の提供をはじめとする実践的な活動を行なっている。われわれはブルゲラの活動を、彼女の書籍やウェブサイトを通して目にすることができる。しかし、それはいかなる意味においても彼女の「作品」の本体ではない。ブルゲラの実践は、みずからの活動の「記録」を作品とするタイプのものとは異なり、それじたいとしては福祉活動と見紛うばかりの「活動」そのものに軸足を置いている。この種の実践を名指すさいに、「ソーシャル・プラクティス」という呼称がもっともふさわしいと考えられる理由は、後述するようにそれが「アート」という言葉をみずからしりぞけているケースがしばしば見られるからである。

調和と敵対

なお、付け加えておけば、おおむね調和的・対話的・社会貢献的なアプローチを旨とするソーシャリー・エンゲイジド・アートに比して、良くも悪くも露悪的なアプローチを取る作家たちもまた存在する。その代表的な存在としてしばしば引き合いに出されるのが、サンティアゴ・シエラとトーマス・ヒルシュホルンの二人である。

サンティアゴ・シエラ(一九六六―)は、労働者に一定の対価を支払い、かれらに石を運ばせたり、背中に刺青を刻んだりするなど、これまでの芸術では見すごされがちであった労働や搾取の問題にフォーカスした作品を発表してきた。たとえば、シエラの代表作として知られるのは、賃金を払って雇った人々の背中に痛々しい刺青を刻む「パフォーマンス」とその「記録」からなる作品である。見るものに露骨な不快感を与えるこの作品は、現代美術の世界では陰に隠れがちな（移民）労働者の搾取という問題を、ふだんそれとは無縁な立場にいる美術展の鑑賞者に痛切に知らしめるものである。

他方のトーマス・ヒルシュホルン（一九五七―）［fig. 10］は、みずからが招待された国際美術展（ドクメンタやヴェネツィア・ビエンナーレ）のメイン会場の外に、ドゥルーズやフーコーといった思想家の名前を冠した仮設的なインスタレーションを設置する作品で知られる。ただしその作品は、シエラのそれと同じく、いささか挑発的な側面を含んでいることに留意せねばならない。たとえば、ヒルシュホルンがドクメンタ11で発表した《バタイユ・モニュメント》（二〇〇二）は、メイン会場であるカッセルの郊外に建てられた仮設小屋である。そこに赴くためには、来場者はトルコ系移民が運転する所定のタクシーに乗らねばならない。しかも、そのアクセスの悪さゆえに、かれらは一定の時間その地域にとどまり、移民労働者が多く住む環境をなかば強制的に体験させられる。ヒルシュホルンの目論見は、各地の国際美術展の外に一時的なモニュメントを設置することで、表舞台から排除された地元コミュニティの人々とアート・ツーリストたちを強制的に出会わせることにある。よってここでも、作品に内包される社会性の内実が、調和的・対話的・社会貢献的なものではなく、むしろ敵対的・（非）対話的・露悪主義的なものに接近していることを見て取らねばならない［8］。

以上が、今日における「ソーシャル・プラクティス」の現在地を示す三つの大きな傾向である。むろん、以上に挙げた作家や作品が、社会への具体的な関わりかたにおいて、それぞれ異なる立場にあることは確かだろう。しかし、調和的なものであれ敵対的なものであれ、かれらの作品がみな一様に、社会問題の「代理＝表象(representation)」としての芸術ではなく——こう言ってよければ——「社会実践(social practice)」としての芸術に大きく接近していることは、ここまでの実例からも明らかであるように思われる。

二つの転回(1)——社会的転回

リレーショナル・アートとソーシャリー・エンゲイジド・アート

右にその概要を見たリレーショナル・アートとソーシャリー・エンゲイジド・アートは、その同時代性のために、時に似たようなものとして語られることも多い。しかし、両者を比較してみれば、この二者はむしろ次の点で大きく隔たっていると考えるべきである。というのも、リレーショナル・アートとよばれる実践が、いまだ最終的なプロダクトとしての作品(写真・映像・オブジェなど)を確保する傾向にあるのに対し、ソーシャリー・エンゲイジド・アートは、慣習的な意味での「作品」を前提としない、社会的なコミットメントを重視する傾向にあるからだ。

先にも述べたように、ソーシャリー・エンゲイジド・アートに属する、あるいはそれに類する実践においては、しばしば良き「芸術／アート」である以上に、社会的、倫理的に善き「実践／プラクティス」であることが標榜される。現代美術において、「作品」とよばれるものが物質的な基盤をもたないのは今に始まったことではないが（コンセプチュアル・アートやインストラクション・アートを想起せよ）、その評価基準が美的なものから社会（貢献）的なものへと明白に移行している点で、ソーシャリー・エンゲイジド・アートはすぐれて現代的な潮流だと言える。

そして、まさに以上のような理由から、ソーシャリー・エンゲイジド・アートにおいては、それを「アート」と称する必然性が見いだしにくいケースが数多く存在することを、あわせて指摘しておかねばならない。先のブルゲラの実践はそのひとつのケースだが、ここではそれをより自覚的に表明したあるアーティスト・コレクティヴの例を挙げよう。

「美的なもの」から「社会的なもの」へ

トルコの先駆的なソーシャリー・エンゲイジド・アートである「ルーム・プロジェクト（Oda Projesi）」［fig. 11］は、

三名の女性アーティストによって二〇〇〇年代半ばまで運営されていたアーティスト・ラン・スペースの名称である。彼女たちはその間、イスタンブールの住宅地に活動の拠点を構え、周囲の住人との交流を通して、公的空間と私的空間の関係を問いなおすことを試みていた。今でこそこの種のプロジェクトはさほど珍しいものではないが、注目したいのは、彼女たちがみずからの活動を語るにあたって、それに対する「美的」ないし「芸術的」な評価基準を明確に否定していることである。

どういうことか。かつて美術史家のクレア・ビショップが行なったインタビューによれば、地域住民との持続的な関係に重きを置く彼女たちにとって、「美的（aesthetic）」という形容詞は自分たちの活動においてまったく重要なものではなく、むしろそれはもっとも避けるべき「危険な言葉」ですらあるという。同インタビューに基づいたビショップの「社会的転回」（二〇〇六）という論文から、それについて触れた部分を引用する。

> わたし［＝ビショップ］が雑誌『無題』（二〇〇五年春号）のためにこのコレクティヴにインタビューし、彼女たちの活動の基盤となる評価基準は何かと尋ねたとき、彼女たちは、どこで誰と協働するかという決定によってそれを判断するのだと答えた。つまりそこでは、美的な［aesthetic］考察ではなく、ダイナミックかつ持続可能な関係こそが成功の指標になるということだ。事実、ルーム・プロジェクトの実践が協働にもとづいているという理由から、彼女たちは美的［*aesthetic*］という言葉を、議論

に持ち込まれるべきでない「危険な言葉」とすらみなしている。これはじつに興味深い反応のように思われた。というのも、もしも美的なものが危険なのだとすれば、それこそが、美的なものが問われるべき最大の理由なのではないだろうか。［9］

このルーム・プロジェクトの事例が興味深いのは、ひとえに彼女たちが――過去の歴史的アヴァンギャルドにしばしば見られた「非芸術」や「反芸術」ですらなく――「美的」ないし「芸術的」な批評基準そのものをしりぞけているからである。以上のケースはいささか極端なものであるにせよ、ルーム・プロジェクトによるこの態度表明は、今日の多くのアーティスト（・コレクティヴ）にもしばしば共有されていると言えるだろう。つまりそこでは、広義の芸術作品を成り立たせる美（学）的な形式に対する配慮よりも、むしろその社会的な意義や有用性に重きが置かれているケースが少なからず見受けられるのだ。

前述のビショップは、現代美術における「美的なもの」から「社会的なもの」への移行を、「社会的転回（social turn）」という言葉によって総括した。つまり、今日の芸術における顕著な特徴とは、作品の美的な見かけや芸術としての新しさよりも、社会に対する現実的な働きかけや政治的な有効性を重視するという態度変更にほかならない。かつ、それにともなって、その作品を受容・評価する人々の価値基準もまた――意識的もしくは無意識的に――次第に「美的なもの」から「倫理的なもの」へと移行する。ビショップは前者を「社会的転回」、それに付随する後者を「倫理的転回」とよび、それらが昨今のソーシャル・プラクティスにおける実践および批評を取り巻いていると考えた。彼女がそのことを最初に指摘したのはすでに十年以上前のことになるが、大局的に見れば、このような趨勢は今日においても大きくは変わっていないように思われる。

二つの転回（2）——パフォーマンス的転回

パフォーマンスとしてのソーシャリー・エンゲイジド・アート

以上のような特徴からも察せられるように、ソーシャリー・エンゲイジド・アートは、従来の慣習的な作品制作よりも、むしろ教育や地域振興をはじめとする社会（貢献）的な活動としばしば深い関わりを持つ傾向にある。そのことは前出のエルゲラの著書でも詳しく述べられているが、そのなかで興味深いのは、ある面においてソーシャリー・エンゲイジド・アートが広義の「パフォーマンス（performance）」に接近していくという指摘である。

ここ二〇年ほどのあいだに台頭したソーシャリー・エンゲイジド・アートは、なにも前世紀末に突如として現われたものではない。これについてはビショップやミウォン・クウォンの著書をはじめ、西欧や北米におけるその出現を、二〇世紀美術史の流れのなかで考察した文献がすでに少なからず存在する〔10〕。パブロ・エルゲラもまた、その著書のなかで、ソーシャリー・エンゲイジド・アートはそれじたいとしてパフォーマンス的な側面をもっており、一部の作品は過去のパフォーマンス・アートに由来する構造や戦略を借用することもある、と述べている。なるほど、ある一連の「行為」を通じて所与の社会集団に介入を試みるという点で、ソーシャリー・エンゲイジド・アートは、約半世紀前のアラン・カプローらによる「ハプニング」の延長線上にあると考えることもできる。その目的の相違こそあれ、プロダクトとしての作品ではなく、ある特定の場における身体的な介入に本質をもつという点で、ソーシャリー・エンゲイジド・アートは、身体的なパフォーマンスからなるハプニングの後裔に位置づけられうるものだ。かつてわたしはそれを——ロザリンド・クラウスの表現をもじって——「拡張された場（expanded field）におけるパフォーマンス」として捉える可能性に言及したことがある〔11〕。

他方で、ソーシャリー・エンゲイジド・アートがかつてのハプニング（およびそれ以外の歴史的アヴァンギャルド）と異なるのは、それが置かれた社会的文脈に拠っている。どちらかと言えば限定的な鑑賞者にむけられていた歴史的アヴァンギャルドのパフォーマンスに比べて、おもに公共空間での——なおかつ、事後的に追跡可能な——活動を前提とするソーシャリー・エンゲイジド・アートは、公的／私的なセクターの（暗黙の）要請を折り込みながら、みずからが関わる共同体への積極的効果を期待される定めにある（それこそ、先に述べた「社会的転回」の意味するところであろう）。それが公的資金を後ろ盾とした活動であればなおさら、ソーシャリー・エンゲイジド・アートは、広義のパフォーマンス・アートが共有する次のような問題に直面せざるをえない。以下は、ソーシャリー・エンゲイジド・アートのパフォーマンス的な側面について述べた、エルゲラの文章からの抜粋である。

多くのSEA〔ソーシャリー・エンゲイジド・アート〕のプロジェクトは、その精神においてアクティヴィスト的であったり、みずからのアジェンダを明確化して、社会的、政治的な強い声明を出したりもする。ただしSEAのなかには、そうした表明をすることなく、ただ思いもよらない経験を鑑賞者に与えるだけのものもある。多くの美術館はSEAの時流に乗り、つねに生気を欠いたギャラリーを活性化するために、アーティストを招き、来場者を巻き込んだ活動を提供したりする。こうした努力の大半にはたしかに一定の価値があるが、その一方で、それらはアーティストの身振りと、参加者のための顔塗りイベント〔face-painting event〕の境界を曖昧にしてしまう。そこでは次のような問いが生じるだろう――われわれは、社会に関与する作品が、たんなるエンターテインメントに堕してしまうような地点をいかにして決定できるのだろうか。〔12〕

ここでエルゲラは、本来アーティストが担うべき芸術的実践が、いつの間にか客寄せのためのエンターテインメントに転じてしまうことに警鐘を鳴らしている。引用文中にある「顔塗りイベント」とは、いわゆる

「賑わいの創出」をめざす場面で目にすることのできる、その典型的な事例にほかならない。かくのごとく、ソーシャリー・エンゲイジド・アートは、ここで述べられているパフォーマンスとしての性格ゆえに、たんなるエンターテインメントへと接近していく危険とつねに背中合わせである。むろん、それでよしとする立場も今日ではけっして珍しいものではないだろう。ビショップが指摘していたように、「社会的転回」という言葉が当てはまるたぐいの芸術は、それを鑑賞・評価する側の「倫理的転回」を誘発する点にその特徴がある（ゆえにそれは、たんなる芸術の「社会化」や「政治化」を指摘する立場と混同されるべきではない）。その帰結としてもたらされるのは、ルーム・プロジェクトが「危険な言葉」として退けた「美的なもの」が、よりいっそう後景に退くという事態である。

美術批評とソーシャリー・エンゲイジド・アート

しかしながら、ビショップがいみじくも述べていたように、かりに美的なものが「危険な」言葉であるとするならば、まさしく「それこそが、美的なものが問われるべき最大の理由なのではないだろうか」[13]。ここで言う「美的な（aesthetic）」要素は、ソーシャリー・エンゲイジド・アートにおいてもけっして不在であるわけではなく、あくまでも作家や鑑賞者の意識の後景に追いやられているにすぎない。したがって必要だと思われるのは、ソーシャリー・エンゲイジド・アートにおける社会的・倫理的な評価軸によって覆い隠されている、感性的なメカニズムを析出していくことである。

もちろんそれは、ソーシャリー・エンゲイジド・アートをはじめとする「社会的転回」の時代の芸術作品に、従来の自律的な芸術作品と同様の評価基準を適用していくことではないだろう。そうではなく、ここで肝要なのは、もっぱら社会的・倫理的な尺度によって測られがちな作品の背後に、いかなる感性的な（aesthetic）はたらきが存在しているのかを丹念に析出していくことである。

リレーショナル・アートやソーシャリー・エンゲイジド・アートについてしばしば語られる批評の困難は、そこで想定されている「批評」の内実が、近代的な芸術概念に基づいたものであることに起因する。ここまで見てきたように、とりわけソーシャリー・エンゲイジド・アートは、「芸術」作品として提示されながら、その意義はもっぱら「社会的・政治的」な効果に見いだされるという、相矛盾する性格をそなえている。ゆえに現在は、これらを「作品として」いかに評価するのか、というその方法そのものが模索されている段階にあると言える。そのひとつの方向性として、当該分野の専門家たる「美術批評家」のみによる評価の限界を認め、他分野の専門家とともに、その「ハイブリッドな」側面を広く評価していくべきではないかという提案がある［14］。またべつの方向性としては、いわゆる「芸術的価値（artistic value）」そのものの定義を再考し、その作品がもたらす社会的・政治的インパクトをそこに含めていくべきではないか、という議論もある。分析哲学の手法によってソーシャリー・エンゲイジド・アートの「芸術的価値」をめぐる議論を展開したヴィド・シモニティは、本章がこれまで述べてきたいくつかの前提を踏まえたうえで、次のように結論づける。

社会に関わろうとする［socially engaged］アーティストたちがある積極的な社会・政治的変革をもたらそうとするなら、われわれはかれらの作品を他の芸術作品と比較するだけでなく、それをより広い政治活動の文脈のなかで判断すべきだろう。ここにおいてこそ、われわれは現代美術を満たしている背信行為、さらにはある種の偽善の在りかを突き止めることができるからだ。キュレーターや批評家たちはきまって、ソーシャリー・エンゲイジド・アートの作品があたかも社会の発展にコミットしているというだけでなんらかの達成をなしえているかのように、それらを称賛してきた。他方、社会関与型の作品が政治的に失敗していると見るや、かれらは美的な基準へと身をひるがえし、ある中途半端な立場を占めるに至るのだ。「かれらの野心はつねに芸術を超えていくことにあるが、それは社会的領域においてみずからに比肩しうるプロジェクトへとむかうことではけっしてない」とクレア・ビショップが書くとき、彼女は正当にもそのことに不満を示している。そのビショップの解決案は、ソーシャリー・エンゲイジド・アートの作品のなかに、芸術的な特徴を見いだしていくことであった。それに替わる（おそらくよりラディカルで）より現実的な筆者の提案は、つまるところ次のような主張にある――すなわち、芸術制作というこの部分集合のためにこそ、われわれはそのインパクトを通じて、すなわちそれを「芸術ではない」政治的取り組みと比較することを通じて、芸術を評価しなければならないのだ。[15]

ソーシャル・プラクティスの評価をめぐる右のような問題提起は、現代美術をめぐる研究／批評のそれぞれの場において、すくなからず目につくものである。いずれにしてもそこでは、芸術作品がもたらす（とされる）「社会的インパクト」を、その「芸術的価値」に含めて考えるという方向性が、いくぶんゆるやかに共有されていると言えるだろう。そのような議論にも、むろん一定の意義はみとめられる。しかしその場合に懸念されるのは、芸術作品をめぐる造形的な、あるいはもっと広く言えば形式的な側面に対する顧慮が、いつの間にかすっかり抜け落ちてしまうことではないだろうか。いわゆるかつての形式主義（フォーマリズム）への回帰は望むべくもないとしても、作品としての形式的な側面に対する配慮をまったく欠いた営為、およびその受容が、いま「芸術」とよばれているものになお含まれうるかは大いに疑わしい。あるいはそのような営みが引き続き「芸術」とよばれるとしても、その場合「芸術」というカテゴリーが――歴史上幾度目かの――決定的な変容をこうむることは容易に想定される。いずれにせよ、ソーシャル・プラクティスをなお「芸術」という概念との関係において考えようとするなら、そこで作品の「形式」に相当する分析単位の確保が欠けていてよい理由は見当たらない[16]。

本節で概観したようなソーシャリー・エンゲイジド・アートの「パフォーマンス」的側面に着目することは、おそらく以上の論点に関しても少なからぬ貢献をなしうると思われる。最後にその可能性について述べることで、本章の締めくくりとしたい。

現代美術の「パフォーマンス的転回」

パフォーマンス研究者のシャノン・ジャクソンは、その著書『ソーシャル・ワークス』(二〇一一)において、近年の現代美術に「パフォーマンス的転回(performative turn)」とよびうる傾向が存在することを指摘している[17]。ここでいう「パフォーマンス」にはいくつかの異なる水準の営為が含まれるが、もっとも単純に考えるなら、それは現代のアーティストたちが身体的なパフォーマンスにかつてなく関心を寄せている、という文字通りの意味で捉えて差し支えない。ここまですでに述べてきたように、美術における身体的なパフォーマンスには、もちろん過去にもさまざまなケースがある。しかし一方で、かつての視覚中心型の芸術が、二〇世紀後半を境に複数の媒体や時間形式を取り込んだより複雑なものへと移行してきたことも否定できない。そこでジャクソンが挙げている作家たちの名前が示すとおり(リクリット・ティラヴァーニャ、サンティアゴ・シエラ、アン・カールソン、ティノ・セーガル、ジェレミー・デラー)、アーティスト本人によるパフォーマンス、または第三者に「委任された」パフォーマンスは、ここまで概観してきたようなソーシャリー・エンゲイジド・アートやリレーショナル・アートといった言葉と合流しつつ、近年——おそらく冷戦が終結した一九八九年がひとつの指標となるだろう——まったく新たな局面に突入していったように思われる[18]。

以上のような整理は、時を同じくしてビショップの『人工地獄』(二〇一二)が行なったように、リレーショナル・アートやソーシャリー・エンゲイジド・アートを、歴史的アヴァンギャルドのパフォーマンスの後続に位置づけようとする身振りに映るかもしれない。しかしジャクソンの目論見は、むしろそれとは別のところにある。というのも、ジャクソンの『ソーシャル・ワークス』は、演劇研究者のハンス゠ティース・レーマンが「ポストドラマ演劇(postdramatic theatre)」[19]と名づけた舞台芸術の動向と、現代美術におけるソーシャル・プラクティスの双方を取り上げ、両者を横断的に見るための視座を提供することに主眼を置いているからだ。たとえば、同書で大きく取り上げられているリミニ・プロトコル、エルムグリーン&ドラッグセット、ポール・チャンといった作家たちは、従来それぞれ別箇の領域において論じられる傾向にあったはずである。日本語で言うところの「美術」と「舞台芸術」が、実際には一定の交流を見せながら、言説としては厳密に分かたれたジャンルであったことは誰しも知るところだろう。しかしそのような分断は、前者におけるソーシャル・プラクティスや、後者におけるツアー・パフォーマンスの隆盛などを受けて、ますます維持が困難に——あるいは無意味に——なりつつある。そのようななか、これらの作家を同一の平面上で論じるジャクソンらの仕事には、「美術」と「舞台芸術」という別々のジャンルで蓄積されてきた二つの批評言語を交差させ、さらに発展させていくための萌芽を見いだすことができる[20]。

むろん、ジャクソンが提示した「パフォーマンス的転回」という用語には、それぞれ異なる来歴をもつパフォーミング・アーツ(演劇・ダンスをはじめとする舞台芸術)とパフォーマンス・アート(現代美術の一形式としてのパフォーマンス）を、さらにはアーティスト本人によるパフォーマンスと、ソーシャリー・エンゲイジド・アートに見られるような第三者のパフォーマンスを、それぞれ安易に同一化してしまいかねないという懸念は残る[21]。しかしそれでも、パフォーミング・アーツやパフォーマンス・アートに加え、リクリット・ティラヴァーニャやティノ・セーガルといった、プロフェッショナルではない人たちの身体を構成要件とする作品の「パフォーマンス」的な側面に着目することの意義は、けっして低く見積もられるべきものではないだろう。なぜならそれは、ソーシャリー・エンゲイジド・アートに対して従来の形式主義的な価値基準を当てはめるのでも、そこから安易に社会的な価値基準へとシフトするのでもなく、参加者を集めたワークショップや社会活動において、アーティストがいかなる身体的介入を試みているのかを、分析的に考えるための端緒となりうるように思われるからだ。そのような視座を取ることによってこそ、ソーシャル・プラクティスの評価基準として安易に選び取られる「社会的」評価とはまた異なる、行動学や人類学の手法を用いた「パフォーマンス」としての観察の余地が生まれてくるだろう[22]。

おわりに

最後に、ここまでの要点を振り返っておこう。

本章ではまず、しばしば同一の平面上で語られがちなリレーショナル・アートとソーシャリー・エンゲイジド・アートの特徴を、いくつかの代表的な事例とともに提示した。そして、前者があくまでも「芸術（art）」としての作品形式を保持する傾向にあるのに対し、後者はむしろ作品としての存在様態を忌避し、純粋な「実践（practice）」に接近していくことを指摘した。それこそ、後者がしばしば「ソーシャル・プラクティス」とよばれるゆえんである。

その必然的な結果として、後者においては、しばしば「美的」「芸術的」な価値の後退と、「社会的」「倫理的」な価値のせり上がりが、実践・評価のそれぞれにおいて見られることになる。それこそ、今日のソーシャリー・エンゲイジド・アートが、過去の「社会的芸術」ないし「政治的芸術」と、もっとも大きく異なる点にほかならない。クレア・ビショップが「社会的転回（social turn）」とよんだ作者（および受容者）の意識の転換こそ、昨今のソーシャル・プラクティスに見られるもっとも顕著な特徴なのである。

そうした現状認識のもと、本章は、ソーシャル・プラクティスをめぐる理論的な文脈において、シャノン・ジャクソンが言うところの「パフォーマンス的転回（performative turn）」に注意をむけることの重要性を指摘した。近年におけるソーシャル・プラクティスの台頭は、その副次的効果として、従来の「芸術」概念にもとづく理論、ないしその批評基準の見なおしを迫りつつある。その多くは、ビショップが「社会的転回」というキーワードによって総括したような二項対立（「芸術」と「社会」、「美的なもの」と「社会的なもの」）をめぐって進められてきた。しかし、ソーシャル・プラクティスの出現をたんに社会化された芸術――ないしその幾度目かの反復——とみなすことに、おそらく生産的な意義はほとんどない。「美的」ないし「芸術的」なものから距離を取ろうとするそれらの芸術を、なお芸術「作品」として分析する構えを維持すること、しかも旧弊な形式主義によってではなく、そのパフォーマンスとしての具体的な現われに注目することによってこそ、その作品の美的＝感性的な(aesthetic)側面を掬い取る可能性は開かれていくだろう。

1 本章の内容は、筆者が過去数年にわたり発表してきた次のテクストと部分的に重複していることをお断りする。星野太「現代美術の「パフォーマンス的転回」(1)——「社会的転回」の時代の芸術作品」『金沢美術工芸大学紀要』第六一号、金沢美術工芸大学、二〇一七年、一〇三—一一〇頁/星野太「ソーシャル・プラクティスの現在」『美術手帖』第一〇三七号、美術出版社、二〇一六年、六六—六七頁/星野太「拡張された場におけるパフォーマンス」『viewpoint』第七二号、セゾン文化財団、二〇一五年、九—一一頁。

2 この分野における代表的な論者であるクレア・ビショップとグラント・ケスターは、以上のようなさまざまな呼称をふまえつつ、それぞれ「参加型芸術」と「対話型芸術」という用語を総称的に(ビショップ)、あるいはみずからが意図する内容をもっとも適切に伝えるものとして(ケスター)用いている。Claire Bishop, *Artificial Hells: Participatory Art and the Politics of Spectatorship*, London: Verso, 2012, p. 1.(クレア・ビショップ『人工地獄——現代アートと観客の政治学』大森俊克訳、フィルムアート社、二〇一六年、一二頁);Grant H. Kester, *Conversation Pieces: Community and Communication in Modern Art* (2004), Berkeley: University of California Press, 2013, p. 10.

3 Nicolas Bourriaud, *Esthétique relationnelle*, Dijon: Les presses du réel, 1998, p. 117.

4 次の拙論を参照のこと。星野太「ブリオー×ランシエール論争を読む」、筒井宏樹(編)『コンテンポラリー・アート・セオリー』イオスアートブックス、二〇一三年、三六—七〇頁[本書第六章]。

5 以上の整理は筆者によるものだが、その過程で、ポンピドゥー・センター(パリ)の常設展示における「リレーショナル・アート」の解説文と突き合わせている(二〇一四年九月)。このことが意味するのは、以上の整理がヨーロッパの現代美術史においてはごく常識的な事実に属するということにほかならない。本註の末尾に挙げた文献では、筆者の以上の認識に対する異論が示されているが(星野太+藤田直哉「まちづくりと「地域アート」——「関係性の美学」の日本的文脈」、藤田直哉（編）『地域アート――美学／制度／日本』堀之内出版、二〇一六年、四五―九四頁）、この整理はあくまでも歴史的に登記された一時代の潮流としての「リレーショナル・アート」を対象としたものであることに注意されたい。言いかえれば、以上の内容はブリオーの考える「リレーショナル・アート」の内容を要約したものではない。谷口光子「総論（二）一九九〇年代とリレーショナル・アート」『藝文攷』第二三号、日本大学大学院芸術学研究科文芸学専攻、二〇一八年、一四六―一四八頁。

6 Nato Thompson (ed.), *Living as Form: Socially Engaged Art from 1991-2011*, New York: Creative Time Books, 2012, p. 8.

7 リビング・アズ・フォーム（ノマディック・バージョン）：ソーシャリー・エンゲイジド・アートという潮流（3331 Arts Chiyoda、二〇一四年一一月一五日―二八日）、Pablo Helguera, *Education for Socially Engaged Art: A Materials and Techniques Handbook*, New York: Jorge Pint Books, 2011.（パブロ・エルゲラ『ソーシャリー・エンゲイジド・アート入門』アート&ソサイエティ研究センターSEA研究会訳、フィルムアート社、二〇一五年）

8 以上に要約したシエラとヒルシュホルンの作品については次を参照のこと。Claire Bishop, "Antagonism and Relational Aesthetics," *October*, 110 (Fall 2004), pp. 51-79.（クレア・ビショップ「敵対と関係性の美学」星野太訳、『表象』第五号、月曜社、二〇一一年、七五―一一三頁）

9 Claire Bishop, "The Social Turn: Collaboration and its Discontents," *Artforum*, Feb. 2006, p. 180.

10 Miwon Kwon, *One Place after Another: Site-Specific Art and Locational Identity* (2002), Cambridge, MA: The MIT Press, 2004.

11 星野太「拡張された場におけるパフォーマンス」前掲、一一頁。Rosalind E. Krauss, "Sculpture in the Expanded Field," in *The Originality of the Avant-Garde and Other Modernist Myths*, Cambridge, MA: The

MIT Press, 1985, pp. 276-290.（ロザリンド・E・クラウス「展開された場における彫刻」『アヴァンギャルドのオリジナリティ——モダニズムの神話』谷川渥・小西信之訳、月曜社、二〇二一年、四〇四—四二二頁）

12 Pablo Helguera, *Education for Socially Engaged Art*, *op. cit.*, p. 68.（パブロ・エルゲラ『ソーシャリー・エンゲイジド・アート入門』前掲書、一四〇頁）ただし引用は原著に基づき、邦訳には変更を加えた。

13 言うまでもなく、ここで用いられている「aesthetic」という形容詞は、「美的な」「芸術的な」「感性的な」という意味合いをすべて含むものである。Claire Bishop, "The Social Turn," *op. cit.*, p. 180.

14 加治屋健司「ソーシャリー・エンゲージド・アートの批評基準」『美術評論家連盟会報 aica JAPAN NEWS LETTERウェブ版』第七号、二〇一七年、四頁。

15 Vid Simoniti, "Assessing Socially Engaged Art," *The Journal of Aesthetics and Art Criticism*, 76-1 (Winter 2018), p. 80.

16 もちろん、それをもはや「芸術（art）」とみなさない、というのもひとつの立場である。繰り返しになるが、ここで「ソーシャル・プラクティス」という包括的な呼称を採用するのは、げんにそれを「芸術」とよぶことにこだわりを持たない、さらにはそれを積極的に忌避するアーティストが少なからず存在するからである。なお、本文で述べた「形式（主義）」をめぐる問題は、ソーシャリー・エンゲイジド・アートにかぎらず、リレーショナル・アートをめぐって、ブリオー、ビショップ、ランシエールのあいだで交わされた論争のひとつの核心をなしている。詳しくは前掲の拙論「ブリオー×ランシエール論争を読む」を参照のこと［本書第六章］。

17 Shannon Jackson, *Social Works: Performing Art, Supporting Publics*, New York and London: Routledge, 2011, p. 1.

18 これらの点についてはビショップ『人工地獄』を参照のこと。第一に、ここで用いた「委任されたパフォーマンス

（delegated performance）」というのは、ビショップが同書の第八章において主題的に論じたものである。第二に、ビショップは二〇世紀における「参加型芸術」の歴史を振り返るさい、それが大きな転回を迎えた三つの年のひとつに「一九八九年」を挙げている。Claire Bishop, *Artificial Hells*, *op. cit.*, p. 193.（クレア・ビショップ『人工地獄』前掲書、二九八頁）

19 Hans-Ties Lehmann, *Postdramatisches Theater*, Frankfurt am Main: Verlag der Autoren, 1999.（ハンス＝ティース・レーマン『ポストドラマ演劇』谷川道子ほか訳、同学社、二〇〇二年）

20 ダンスをはじめとするパフォーマンスが美術館やギャラリーで上演（ないし展示）されるという昨今の流れをめぐっては、ビショップやジャクソンも寄稿している『ダンス・リサーチ・ジャーナル』の「美術館の中のダンス（Dance in the Museum）」特集号が有益である。*Dance Research Journal*, vol. 46, no. 3, December 2014.

21 この点については次の共同討議を参照のこと。加治屋健司＋門林岳史＋中島那奈子＋三輪健仁＋星野太「越境するパフォーマンス——美術館と劇場の狭間で」『表象』第一二号、月曜社、二〇一八年、一八—四五頁。

22 たとえば細馬宏通『介護するからだ』（医学書院、二〇一六年）では、売店の客と店員のあいだのお釣りの受け渡しや、介護者と被介護者のあいだに生じる何気ないやりとりが、録画映像を用いた精緻な分析に基づき記述されている。こうした、ふだんわれわれが何気なく行なっているインタラクションに着目し、そこにいかなる力学が作用しているのかを具体的に観察・分析することは、ソーシャリー・エンゲイジド・アートにもあるていど応用可能なのではないだろうか。

6　リレーショナル・アートをめぐる不和——ジャック・ランシエールとニコラ・ブリオー

『関係性の美学』をめぐって

オランダに『オープン』という少々風変わりな雑誌がある。同誌は、一九九九年にモンドリアン財団から独立したSKOR（芸術と公共空間のための財団 Stichting Kunst en Openbare Ruimte）という組織が発行する、年二回刊行の機関誌である。その雑誌が、二〇〇九年に「不安定な存在——公共圏における脆弱性」という特集を企画した。イタリアの哲学者パオロ・ヴィルノのインタビューに始まり、ポストフォーディズム体制下における芸術と労働の問題を扱った、ユニークな論考がそれに続いている。だが、その目次を眺めていると、ほかのテクストとは明らかに異なる雰囲気をまとった論文が視界に飛び込んでくる。著者はニコラ・ブリオー。見るからに論争的な調子を帯びたそのテクストは、「不安定な構築物——芸術と政治をめぐるジャック・ランシエールへの応答」と題されている。

その著者であるニコラ・ブリオー（一九六五—）について、ここで長々と説明を加える必要はないだろう。二〇〇〇年の開館前から二〇〇六年までジェローム・サンスとともにパレ・ド・トーキョーのディレクターを務め、その後もテート・トリエンナーレをはじめとする国際展を手がけるなど、現在世界的にもっとも影響力のあるキュレーターのひとりとして、活発な仕事を続けている。そのキュレーターとしての活動もさることながら、とりわけブリオーの名前を広く知らしめたのが、一九九八年の『関係性の美学』という書物であることも、すでに周知の事実であると言ってよいだろう。

『関係性の美学』は、リクリット・ティラヴァーニャやリアム・ギリックなど、ここ二〇年ほどのあいだに台頭したアーティストを中心に扱いつつ、とりわけかれらの作品を「関係」の創設という観点から論じたエッセイ集である。二〇世紀から二一世紀への世紀転換期に発表された『関係性の美学』が大きな注目を浴びるにいたった理由としては、同書が二〇世紀的な「メディウム」中心型の芸術理論から、作家・作品・鑑賞者のあいだにつくり上げられる「関係」中心型の理論へと大きく舵を切ったという事実が挙げられる。その内容の当否はともかくとして、ブリオーが同書で示した議論の枠組みは、昨今いたるところで存在感を増す巨大なインスタレーションや、鑑賞者との相互交渉を重視するインタラクティヴ・アート、あるいは明確な外縁をもたないコミュニケーションを土台とした作品を論じるうえでの重要な参照項となっている。

『関係性の美学』以後も、ブリオーは『ポストプロダクション』(二〇〇二)や『ラディカント』(二〇〇九)といった著書、あるいはみずからが企画するさまざまな展覧会を通じて、先に挙げた傾向をもつ同時代の作家を手際よくまとめあげ、紹介するための新たなコンセプトを次々と打ち出してきた(二〇〇九年のテート・トリエンナーレ「オルターモダン(*Altermodern*)」もそのひとつである)。さきほど述べたことの繰り返しになるが、ブリオーが提案する概念や現状認識の是非は措くとしても、その存在が今日の芸術をめぐる言説のなかでひとつの中心をなしているという事実は否定しがたい。

ところで、一九九八年の『関係性の美学』以来、ブリオーの議論はかならずしも賛同ばかりを集めてきたわけではなく、時としてそこにはきびしい批判も投げかけられてきた。有名なところでは、クレア・ビショップによる「敵対と関係性の美学」(二〇〇四)という論文がある。雑誌『オクトーバー』に掲載されたこの論文は、おそらくブリオーの『関係性の美学』批判としては今日もっともよく知られたものであり、のちにリアム・ギリックによるさらなる反論を誘発するなど、『関係性の美学』の「その後」を考えるうえで無視できない論文のひとつとなった[1]。

そして、ブリオーの『関係性の美学』に批判を加えたもうひとりの代表的な人物として、フランスの哲学者として知られるジャック・ランシエールがいる。ランシエールは著書『解放された観客』の一節である「政治的芸術のパラドクス」において、ブリオー、およびその周囲の作家たちに批判的に言及している。冒頭に挙げたブリオーの「不安定な構築物」というテクストは、ほかならぬこのランシエールによる批判を機縁として執筆されたものだ。

本章では、ランシエールの哲学的な立場を把握するための基本的な事実を押さえつつ、そのブリオー批判の要諦がいったいどこにあるのかを整理していくことにしたい。そして、ランシエールによる批判を見たのちに、あらためてブリオーから提出された反論へと目をむけていくことにする。後半の議論をあらかじめ先取りしておくならば、この両者の理論的対立は、『関係性の美学』ではいまだ顕在化していなかったある問題に目をむけるための一助となりうるはずである。

ランシエールとは誰か——政治哲学から美学へ

ジャック・ランシエール（一九四〇―）という哲学者の名前は、二〇世紀中は比較的マイナーなものにとどまっていたと言ってよいだろう。アルチュセールに師事した政治哲学者としてそのキャリアを開始したランシエールは、若くして『資本論を読む』（一九六五）にマルクスについての論文を発表し、その後も『アルチュセールの教え』（一九七五）、『プロレタリアートたちの夜』（一九八一）、『不和』（一九九五）といった数々の著書を発表しつづけてきた[2]。この時期のランシエールの著書には外国語への翻訳が比較的少なく、それを受容できたのはおもにフランス語圏の読者にかぎられていた。もちろん、海外での講義や講演活動も精力的に行なってはいたが、その読者はおおむねマルクス主義という限定されたサークルのなかにとどまっていたはずである[3]。

そのような政治哲学者としての顔をもついっぽう、ランシエールはある時期から『カイエ・デュ・シネマ』や『トラフィック』をはじめとするフランスの雑誌に映画論を寄せるようになる。映画および広義のイメージをめぐるこれらの仕事は、現在までに『シネマトグラフの寓話』(二〇〇一)と『イメージの運命』(二〇〇三)という二冊の書物に結実している[4]。とくに後者は、アウシュヴィッツをめぐるクロード・ランズマンの映画『ショア』(一九八五)への批判的言及を含んでいたという事情もあり、国内外でランシエールの名を知らしめる大きな契機となった。そして、二一世紀に入って数年が過ぎるころには、「マルクス主義の流れをくむ政治哲学者」というそれまでのランシエールの顔に、「芸術、表象、イメージをめぐる理論家」というもうひとつの顔がつけ加えられることになる。それはちょうど、かれがパリ第八大学を退職するのとほぼ同時期のことであった。

そのランシエールが、現代の美学や芸術理論に関心をもつ人々にとって無視しえない存在となりはじめたのも、やはりこの時期である。このころからランシエールは、政治哲学をめぐるみずからの思索を、美学や芸術といった領域においてさらに深く展開していくことになる。しかし、一見するかぎりでは接点を見いだすことが困難な「政治」から「美学」への転回、ないし越境はいかにしてなされることになったのか。それについては後述するが、そのプログラムの概要は『感性的なもののパルタージュ』(二〇〇〇)においてやや駆け足気味に予告され、『美学における居心地の悪さ』(二〇〇四)や『解放された観客』(二〇〇八)において、やがて十全に展開されていくことになる[5]。

以上の帰結として、その後のランシエールの理論的影響力は、英米の美術批評やアカデミーにも波及することになる。代表的なものを列挙すると、二〇〇三年四月にはコロンビア大学でランシエールの仕事をめぐる大規模なシンポジウムが開催され[6]、二〇〇七年には『アートフォーラム』で「体制変革――ジャック・ランシエールと現代美術」という特集が大々的に組まれている[7]。先にふれた『解放された観客』の導入部も、もとはこの『アートフォーラム』のランシエール特集号に掲載されたものだった[8]。

したがって、さきほど見たブリオーとランシエールの対立の構図は、おおよそ次のように要約できるだろう。すなわちそれぞれフランスを拠点とするも、一方のブリオーは『関係性の美学』以後の仕事によって、国際的に認知された理論家／キュレーターとなった。そして、賞賛とともにすくなからぬ反発をよんだ『関係性の美学』に対する批判者のひとりとして、いまや英米の美術界でも強い影響力を有するにいたった哲学者ランシエールが異議を申し立てたのである。

感性的なものの分配――異議申し立てとしての芸術／政治

さて、この先が本題である。あらためて確認しておくなら、われわれが追いかけているのは、ブリオーによる「関係性の美学」という概念の提示(一九九八年)、ランシエールによるその批判(二〇〇八年)、さらにそれに対するブリオーからの応答(二〇〇九年)という一連のクロノロジカルな展開である[9]。

ランシエールによるブリオー批判の要諦を知るには、まずその批判の核心がいったいどこにあるのかを把握する必要があるだろう。そこで本節では、ランシエールの議論の中核をなす「美学」と「政治」との関わりをひと通り見ていくことにする。ランシエールのこれまでの仕事についてはすでに概観したとおりだが、その仕事の重心が二〇世紀末を境に政治から美学へと移行したと考えるのは、厳密に言えば正しくない。その理由は、ランシエールにとっての美学が、あくまでも政治についての考察の延長線上にあるものだからである。ランシエール本人も述べるように、その哲学的な仕事は「政治から美学へ」と移行したのではない〔10〕。むしろ、ランシエールが展開している美学的考察は、あくまでそれを政治的考察の延長として読むかぎりにおいて意味がある。したがって、そのテクストを読むさいに何よりも避けるべきなのは、「美学」と「政治」を対立関係において捉える二元論である。では、ランシエールにおいて、美学と政治はいかなる関係を切り結ぶのか。それに対するもっとも簡潔な答えは、美学こそが政治の根底をなしているというものである。

> 政治の根底にはひとつの「美学＝感性学〔l'esthétique〕」があるが、それはベンヤミンが語っているような「大衆の時代」に固有の「政治の美学化」とはなんの関係もない。〔……〕類比にこだわるなら、そのような美学＝感性学をカント的な意味で、あるいはフーコーによって再解釈されたような意味で、感じとるべく与えられたものを規定するアプリオリな諸形式の体系として理解することができる。それは時間と空間、可視的なものと不可視的なもの、言葉と騒音の切り分けであり、そ

れが経験の形式としての政治の場と課題を同時に定めているのである。〔11〕

一八世紀ドイツの哲学者バウムガルテンは、ギリシア語の「感性（Aisthesis）」という言葉を用いて「美学（Aesthetica）」という学問をつくり上げた。したがって美学は、その成り立ちからしてすでに「感性」の意味を含みもっている。ランシエールが用いる「美学」という言葉も、やはりこの「感性学」という意味をつねに念頭において聞き取らなくてはならない。ここでランシエールが言わんとしているのは、美や芸術をめぐる学問としての「美学」が、政治の根底をなしているということではない。そうではなく、政治の根底をなしているのは、あくまでも感性の学としての「美学」なのである。

しかし、ここで次のような疑問が浮上してくるだろう。感性の学としての美学が、政治の根底をなしているというのは一体どういうことなのか。おそらく第一に想定される異論は、政治とは人間の知性的認識にもとづく営為であり、それは感性的認識とはおよそ領域を異にするのではないか、というものである。このような反論をしりぞけるために、ランシエールが好んで引き合いに出す事例を参照してみよう。まずはプラトンとアリストテレスである。

プラトンは、職人たちがポリスという政治的空間に参与することをみとめることはなかった。なぜか。職人たちには各々従事すべき仕事があり、政治談義のためにその持ち場を離れることは許されないからである。職人たちには特定の「仕事（＝場を占めること occupation）」が課されており、それゆえ自由な市民によって構成されるポリスという政治空間に参入することができない。ここに見られるのは、ある共同体の成員によって構成されるはずの「政治」の空間から、職人たちが身体的に――ということはすなわち感性的に――排除されているという構図である。

言語をめぐるアリストテレスの議論においても、問題はさして変わらない。アリストテレスの定義によれば、市民とは「支配することと支配されることに関与する」者たちのことである。かれはそのような「支配することと支配されることに関与する」ものたちを、言葉を話さない動物と区別しつつ「政治的動物」とよぶ。ただし、その「政治的動物」というカテゴリーからは、奴隷をはじめとする多くの人間が排除されている。もちろんかれらは市民たちの言葉を聞き取り、時には同じ言葉を話すことすらある。しかし、ポリスの市民たちにとって、かれら奴隷の声は「政治的動物」の声ではなく、たんなる「動物」の声にしか聞こえない。これは、ある共同体のなかに場を占める人間がそこから象徴的に排除されているというケースだが、その排除がもっぱら身体的な次元、感性的な次元において行なわれているという点で、先に挙げたプラトンの延長線上にある。市民たちは奴隷たちの声を「聞く(entendre)」ことができるにもかかわらず、それを「理解する(entendre)」ことを拒む。これこそ、政治の根底には紛うことなき「美学=感性学」が存在するとランシエールが考える根拠であり、かれはそのような配分の体系を「感性的なものの分有(partage du sensible)」とよぶのである。

この「分有(partage)」という言葉のなかに潜む、「分割/共有」という二つの意味――排除と同化

——をただしく聞き取らなくてはならない。ここでいう「感性的なもの（le sensible）」とは、われわれの感覚器官に与えられるセンス・データそのものであると言ってよいが、そこで誰の声を聞き、誰の声を無視するかという決定は、その共同体のなかで優位を占める人々の恣意的な決定に基づいている。つまり、先に言うところの「市民」たちは、政治に携わることのできる人間／できない人間を恣意的かつ感性的に「分割」し、前者の人間のみによって政治に対する義務と権利を「共有」するのである。

以上に見られるように、共同体の内部における感性の（再）分配に関わるものとしての美学は、なるほど政治の手前に存在する。しかし、議論が混み合うのはここからである。ここまでの事例において措定されていた「感性的なものの分有」は、当時の有権者たちによって恣意的につくり上げられたものでしかない。したがって、プラトンやアリストテレスの議論において「政治」に対する権利を奪われていた職人や奴隷は、しかるべき戦略によってその配分を組み替えることができる。

たとえば、ティトゥス・リウィウスの『ローマ建国史』には次のような寓話がある。あるとき、ローマ帝国の平民が貴族に対し反乱を図った。アウェインティヌスの丘に立てこもったかれらに対し、貴族たちがその説得にむかう。しかし当然のことながら、貴族は平民が自分たちと同じ言語を話す「政治的動物」であるとは認めない。先に見たように、平民たちは、貴族たちの構成する共同体のなかに象徴的な場を占める存在とは見なされないからである。その事実からも察せられるように、厳密に言えば貴族は自分たちと対等な者を「説得」しようとしたのではなく、端的な「暴力」でかれらを屈服させようとしたのだ。

では平民たちはどうしたか。かれらは、貴族たちと同じように呪いや礼賛の言葉を口にし、あまつさえ自分たちの代表者を立て、その人に神託を語らせることによって、「自分たちが同じ人間である」ということを貴族たちに認めさせようとしたのである。

共同体の内部における市民／非市民の境界画定が、先行する既得権益者たちの「感性的なもの」の配分によって定められている以上、その境界に対する異議申し立てもやはり感性的な次元においてなされるほかない。『ローマ建国史』の事例が明瞭に示しているように、そのような「政治的」異議申し立ては、おのずから「感性的」なものでもある。ランシエールが考えるように、「感性的なもの」の再分配をめざす試みは、本来的に政治的かつ感性的なものなのだ。したがって、その具体的な表出としての芸術作品もまた、およそ政治的なものと無縁ではありえない。それどころか、芸術と政治はそれぞれ領域を異にするものではまったくなく、いずれも同じ「感性的なものの分有」がとりうる二つの形式なのである。

> 芸術と政治は、たがいに関係づけられるべきかどうかが問題となるような、恒常的に隔たった二つの現実ではない。それらはいずれも、ある特徴的な同一化の体制のもとにぶらさがった、感性的なものの分有の二つの形式なのである。[12]

以上のような議論の枠組みにおいて、美学を「芸術一般についての理論」や、「芸術を感性に対するさまざまな効果へと還元する理論」として考えるのは誤りだということになるだろう。かりにその対象を芸術に限定するなら、美学は「諸芸術の同定とその思考にかかわるひとつの特徴的な体制」として定義される[13]。そして、そのような美学に根ざす「芸術」は、「政治」と対立するものではけっしてない。むしろ両者は、同一のものの異なった形式の呼称なのである。そのことを最低限ふまえたうえで、ランシエールのブリオー批判へと進むことにしよう。

政治的芸術をめぐるパラドクス——ランシエールによるブリオー批判

ランシエールの『解放された観客』において、ブリオーの「関係性の美学」は、以上のような意味での「芸術」が陥る自己否定のひとつのパターンだとされている。「関係性の美学」とは、芸術作品の生産と、その結果として生じる社会関係の変容とのあいだの「媒介(médiation)」をみずから抹消するものにほかならない。なぜならそこでは素朴にも、芸術がなんらかの社会関係を「じかに」産出できると考えられているからである。そしてランシエールによれば、作品の生産によって直接的に社会に変革をもたらそうとする姿勢こそ、「関係性の美学という名称のもとにニコラ・ブリオーが有名にしたテーゼ」なのだ。ブリオーが唱える新たな芸術形式——リレーショナル・アート——において、「芸術作品は、見られるべき対象を産出するという古い形式を超出する」ことになる[14]。しかしその場合、芸術は新たな「社会関係」を直接的なしかたで産出する機構へと還元され、さらには美術館という内部空間と社会という外部空間は、「関係を生み出すための等価な場」として安易にも均質化される。以上が、ブリオーの『関係性の美学』に対するランシエールの評価である。

ここで、ランシエールに対して次のように問うこともできるだろう。そもそも、芸術作品が社会関係を「じかに」産出することのいったい何が問題なのか。さきほどの批判のポイントをただしく掌握するには、ランシエールによるここでの議論の前提、具体的には芸術の「表象的体制」「倫理的体制」「美的体制」とよばれるものに注意をうながしておく必要がある。

ランシエールによれば、いわゆる「芸術のポリティクス」が前提としているのは次のような図式である。すなわち、芸術は現にある支配体制から課せられた刻印を明らかにし、われわれにのしかかっている抑圧的な伝統を嘲笑し、それに対する転覆的な表現を提出することによって政治的たりうるという図式である。しかし、これはあまりにも単純な発想ではないか。ここでは、そもそも「芸術家が稚拙であったり、その受容者が救いがたい人々であったりするかもしれないという想定ぬきに、原因からその結果へ、意図からその成果への推移がつねに明らかなものとされている」[15]。こうした素朴な意味での「芸術のポリティクス」は、実のところ、すでに何世紀も前に問いただされていた芸術の「教育的モデル（modèle pédagogique）」にもとづいている。ここでは、ほかの著書におけるランシエールの言葉を用いて、これを芸術の「表象的体制(régime représentatif)」と言いかえておこう[16]。芸術の「表象的体制」とは、芸術家によるなんらかの意図が、作品という媒介を通じて受容者に伝達される、という古典的かつ演劇的な体制である[17]。他方、これを批判することによって生じてきたものとして、芸術の「原‐倫理的モデル(modèle archi-éthique)」というものがある。これも、やはりランシエールがほかのところで用いていた「倫理的体制(régime éthique)」という用語と、あるていどまで置換可能な概念である[18]。こちらは、芸術の「表象的体制」とは異なり、芸術家から受容者への表象の一方的な伝達を想定することはない。しかし、啓蒙主義の勃興と軌を一にして生じたこのモデルにおいて目指されるのは、芸術を通じた受容者の道徳的教化であり、これもやはり芸術におけるなんらかの効果を前提としていることに変わりはない[19]。両者を隔てるのは、その伝達方法が媒介的＝表象的か、無媒介的＝倫理的かという相違であるが、より大きな枠組みで言うなら、両者は芸術をなんらかの効果や目的へと還元してしまっているという点で共通している。そして、われわれの芸術の見かたをいまだ強く規定しているこれら二つの体制に対し、「第三の道」となるのが芸術の「美的体制(régime esthétique)」なのである[20]。

ランシエールによれば、この「美的体制」のもとにある芸術の効果は、ある意味でパラドクスを孕んだものであるという。というのも、この体制において作品に帰される効果というのは――前二者とは反対に――作者・作品・受容者の「分離」ないし「非連続性」にあるからである。つまり芸術の「美的体制」においては、作者の感性的形式、作品に内属する感性的形式、受容者の感性的形式の断絶こそが重要視されるのであり、「表象的体制」や「倫理的体制」とは違って、それは作者・作品・受容者のあいだに一定の「距離（distance）」をもたらすものであるとされる。このような芸術の定義はネガティヴなものだろうか。そうではない、とランシエールは言う。なぜなら芸術作品のもつ政治的な潜勢力は、まさにここにこそ存在するからだ。端的に言えば、「制作＝行為（faire）」が政治的であるのは、それが作者の意図、作品の形式、受容者の視線という「あらかじめ定められた連関」を「宙吊り」にすることができるからである。言いかえればそれは、現にある支配的な連関の「中性化」にほかならない。

したがって、前節までに述べたことをより厳密に言いかえるなら、ランシエールにおいて芸術＝政治という等式が成り立つのは、芸術がこうした「美的体制」のもとにあるかぎりにおいてのことなのだ。事実、ランシエールによる次のような「芸術」の定義を一瞥すれば、それが先の「政治」の定義とほぼ重なりあっていることに気づかれるだろう。

まず、芸術が政治的であるとすれば、それは芸術がこの世界の秩序にしたがいながら、諸々のメッセージや感情を伝えるからではない。また、それがある社会の構造や、さまざまな社会集団の対立ないし同一性を表象しているからではない。芸術は、それがみずからの役割に対してとる距離によって、それが創設する時間と空間のタイプによって、そして時間と空間とを切り分けるその方策によって、政治的だと言えるのである。［21］

ランシエールがくりかえし強調しているように、芸術の「美的体制」の出現は、一八世紀後半から一九世紀前半にかけての西洋における「美学」や「芸術」の誕生と軌を一にする出来事である。リレーショナル・アートを含めた今日の多くの「政治的芸術」は、したがって、先行する「感性的なもの」の再編成を可能にするはずの芸術作品を、逆説的にも近代以前へと連れ戻してしまう。したがってランシエールの目から見れば、ブリオーが好意的に取り上げる作品は、革新的であるどころかきわめて凡庸で退行的なものでしかないことになる。

芸術作品を多様な社会関係のなかに離散させてしまえば、それはただ見られるだけのものとしての価値しかもたなくなってしまう。そうなれば、「何も見るべきところのない」ごく普通の関係が、通常であれば作品の展示にあてられるはずの空間に、範例的な場を占めることになってしまうだろう。あるいはその反対に、公共空間における社会関係の生産が、スペクタクル的な芸術形式を具えたものと見なされることになってしまうだろう。[22]

ランシエールは、前者のタイプの作品をリクリット・ティラヴァーニャによって、後者のタイプの作品をルーシー・オルタによって代表させる。リクリット・ティラヴァーニャ(一九六一―)は、生活空間を模した巨大なインスタレーション／パフォーマンスによって九〇年代に頭角を現した作家である。その作品は、ギャラリーや美術館に設置された作品そのものではなく、その場を訪れた人々に対する贈与行為を最大の特徴とする[23]。たとえばティラヴァーニャは、みずからの「作品」の一部である仮設キッチン[fig. 12]においてしばしば実際に食事をつくり、それを来場者にふるまっている。また、来場者に会話、睡眠、入浴といった生活と地続きにある行為の場を提供することで、そこに擬似的な共同体をつくり上げようとする。このようなティラヴァーニャの作品の主眼が、物体としての作品ではなく、作品を媒介としてつくり上げられる「関係」の産出にあることは明らかである。その意味で、彼の作品はリレーショナル・アートの紛うことなき典型であり、事実ティラヴァーニャはブリオーの『関係性の美学』でもしばしば引き合いに出されている。しかしランシエールによれば、ティラヴァーニャの作品は、本来であればそこに「何も見るべきところのない」普通の人間関係が、「作品の展示にあてられるはずの空間」、つまり美術館やギャラリーに場を占めている典型的なケースにほかならない。

他方、ルーシー・オルタ（一九六六―）は、おもに衣服を素材とした作品、およびその作品を用いた活動によって知られるアーティストである。たとえば彼女は、ある時にはテントへと姿を変えた衣服を難民たちに提供し、またある時にはなんらかの社会的抗議を行なう人々に同じ服を着せることで、その連帯を視覚的に強化する[fig. 13]。しかしランシエールは、写真をおもな媒体とする彼女の仕事が、特定の政治的メッセージをあまりにも安易なしかたで搾取していると批判する。たとえばある作品では、デモに参加する人々が四角形に並べられ、数字を施したオーバーオールによって物理的に繋ぎあわせられている。その写真は形式的な審美性を保持しており、さらには、多種多様な人々の結束を表すためか、「絆」という言葉が用いられている[24]。こうしたオルタの作品は、ともすればある政治的な連帯を、ごく素朴なしかたでスペクタクルへと転化しているように見えなくもない。つまり、ティラヴァーニャの作品がごく普通の社会関係を芸術作品として提示したものだとすれば、オルタの作品はそれとは反対に、ある社会的な異議申し立てを一種のスペクタクルとして提示したものだと言える。

これ以外にもランシエールは、ルネ・フランシスコ(一九六〇―)やマチュー・ロレット(一九七〇―)をはじめとするほかの作家たちにも言及しているが、それについては割愛する。個々の作品の内実も、それらに対するランシエールの評価ももちろんそれぞれ異なってはいるが、ここではむしろ次の事実を強調しておきたい。すなわち、ランシエールがここで槍玉にあげるアーティストは、たしかにブリオーが「リレーショナル・アート」の範疇に含める作家たちと重なりあっている。しかし実のところ、その批判対象は狭義のリレーショナル・アートにとどまるものではなく、それよりもさらに広い範囲の作家を包含している。ランシエールによれば、ここで挙げられている作家たちは、みな「芸術の再政治化」になんらかの意味で関わりをもっている[25]。ある者は美術館やギャラリーの内部に社会的な空間を立ち上げ、またある者は社会運動や慈善事業にまつわる行為の記録を作品として提示する。またある者は、国家やマスメディアに対する批判を作品に不可欠な要素とし、またある者は、それらを批判的に流用する行為をみずからの作品とする――ランシエールの指摘によれば、以上のような傾向をもつ作家はいずれも、なんらかの意味で「芸術の再政治化」に関わろうという意志をもっている。しかし、あらためて問うならば、そもそも「芸術」を「再政治化」することのいったい何が問題なのか。すでに述べたように、ランシエールにとって芸術と政治の関係はそもそも二項対立ではなく、両者は「感性的なもの」を編成しなおすための二つの形式であった。したがってランシエールが何よりも警戒するのは、〈芸術＝虚構〉と〈政治＝現実〉という等号を安易に措定し、前者から後者へと移行することを訴えるたぐいの身振りなのだ。そして、そのような身振りの典型とも言えるのが、芸術をたんなる「虚構」と見なし、政治という「現実」へと介入していこうとするものである。ランシエールはそのような身振りを次のように批判する。

> 直接に政治的なものとなった新しい芸術家たちのものの見かたは、政治的行動という現実的なものと、美術館の閉域に閉じこもった芸術というシミュラークルを対比する。しかしそのような見かたは、芸術の政治に固有の美的距離〔distance esthétique〕を無効にすることによって、おそらく正反対の結果へと至ることになるだろう。つまり、そのようなものの見かたは、美学の政治と政治の美学の隔たりを抹消することによって、政治がしかるべき主体化の場面をつくり上げるさいのさまざまなはたらきの特異性も、同時に抹消してしまうのである。〔26〕

ようするに、「芸術の政治化」というスローガンは、芸術的行為と政治的行為、美学と政治とを安易に対にした結果として生じてくるものなのであり、それは「美術館の閉域に閉じこもった芸術というシミュラークル」を否定し、「政治的行動という現実的なもの」へとむかうような姿勢に典型的に現われる。しかし、そのようにして「美学の政治」と「政治の美学」の隔たりを抹消することは、政治の手前にあるとされた美学の重要性を見過ごすことにしかならない。美学とは「政治がしかるべき主体化の場面をつくり上げる」はたらきを下支えするものであった。だとすれば、「芸術の政治化」や「美学の政治化」といった言葉は、結局のところ空疎なものでしかない。美学とは、われわれの生を構成する感性的な基盤についての学であり、芸術とは、既成の「感性的なもの」の配分に異議を申し立てるための「制作=行為（faire）」だからである。

以上のような意味での「感性的なもの」には、もとより外部など存在しない。よって、政治化された芸術がそこからの脱出口となるということも、定義上ありえない。

芸術の外部となるような現実の世界など存在しない。そこに存在するのは、共通の感覚可能な織物のなかの折り目や折り返しである。そこでは、美学の政治と政治の美学が結合し、そして分裂する。現実的なものは、それじたいとして存在するわけではない。われわれの現実として、すなわちわれわれの知覚の、思考の、介入の対象として与えられるものの、諸々の布置が存在するのである。現実的なものとは、つねにある虚構［fiction］の、すなわちある空間の構築の対象なのであり、その空間のなかでは、［われわれに］見えるもの、言いうるもの、為しうるものが縫い合わせられているのである。［27］

この一節は、芸術と政治をめぐるランシエールの思想に明瞭なイメージを与えてくれる。われわれは「共通の感覚可能な織物（tissu sensible commun）」のなかで生きており、個々の具体的な芸術作品や政治的実践は、そのなかの「折り目」や「折り返し」として理解することができる。ここには〈芸術＝虚構〉と〈政治＝現実〉という対立は想定されていない。芸術と政治は、虚構がまとう二つの形式の姿であり、「現実的なもの」は、それら虚構の効果によって生み出されもすれば、同時に変容させられもする。

政治的行動としての芸術による虚構は、この現実的なものを掘り崩すだろう。芸術による虚構は、論争的な様式によって現実的なものをこじ開け、多様なものにする。政治の仕事とは、新たな主体を創出し、新たな対象を、そしてありふれた所与についての異なる知覚を導き入れることであるが、それもまた虚構による仕事である。さらに言えば、政治的なものに対する芸術の関係は、虚構から現実的なものへの移行ではなく、虚構を産出する二つの方法の関係に等しい。［28］

以上からもうかがえるように、ランシエールが批判するのは、ブリオーおよびその周囲の作家たちにはとどまらない。ランシエールはみずからの哲学的立場に立脚しつつ、芸術を「再政治化」しようとするあらゆる試みが、そもそもの前提からして——すなわち、芸術と政治の二項対立的な把握において——誤っているということをくりかえし訴える。リレーショナル・アートはあくまでその一典型にすぎず、ブリオーがそこで殊更に批判されているのも、当人の著名性に由来する以上の積極的な理由は見当たらない。ランシエールのリレーショナル・アート批判は『解放された観客』の以前からすでに見ることができるが[29]、それもごく通りすがりのものにとどまっており、リレーショナル・アートをめぐる具体的な問題が、厳密な批判にかけられているとは言いがたい。事実、理論的なレベルで言うなら、ティラヴァーニャやギリックの作品に「敵対（antagonism）」という契機が欠如していることを指摘したクレア・ビショップの批判のほうが、ブリオーならびに「関係性の美学」への批判としてははるかに核心を突いている[30]。

以上を総合すると、ランシエールの先のテクストは、ブリオーへの直截的な批判というより、みずからの議論を展開するためのひとつの足場のようなものとして理解したほうがよいかもしれない。しかし、ひとまずこのことは後に回すとして、次にこの批判を機縁として提出されたブリオーのテクストへと目を転じてみることにしよう。

冒頭で紹介したように、ニコラ・ブリオーはオランダの雑誌『オープン』に、前出のランシエールの批判に対する応答を寄せている。「不安定な構築物」というタイトルは、トーマス・ヒルシュホルンが一九九七年のミュンスター彫刻プロジェクトに出品した作品タイトルから借用されたものと見てほぼ間違いない。ここでブリオーは、先のランシエールによる批判に応答するかたちで、「不安定性（precariousness）」という概念を中心に据えつつみずからの議論を展開している。

そこで第一にブリオーが異議を唱えるのは、ランシエールによる「関係性の美学」の理解そのものである。

ジャック・ランシエールはその近著において、「芸術の効果をめぐる教育的モデル」を問いにかけている。〔……〕芸術の政治的な効果が「メッセージを伝えることにあるのではなく」、「第一に身体の配置や、特定の空間や時間の分割」にあるということについては同意しよう。「それらは共にいるか離れているか、前面にいるか中心にいるか、内部にいるか外部にいるか、近くにいるか遠くにいるか、というその存在のありかたを規定する」。しかし、『関係性の美学』のなかで論じた作家たちに共有されているのは、実のところ、まさしくこの形式的な問題〔formal problem〕に対するアプローチなのである。ランシエールはこの部分を誤読しており、それらの作品が、「みずからを社会関係として直接的に提示する、芸術という機構」だと言っているのだ。〔31〕

ここでブリオーが言う「形式的な問題」についてはのちに立ち返るが、さしあたりはそれを、作品の具体的な内実や構成要素を指すものとして考えておこう。ブリオーはここで、ランシエールによるリレーショナル・アートの記述は不適切であるとして、これを非難している。なぜなら、ランシエールはティラヴァーニャやオルタの作品を論じるさい、作品の形式的な要素にはいっさい触れず、もっぱらその社会的な効果のみを論じているからだ。ブリオーは、「図書館から世界を観察する」悪しき哲学者の肖像をランシエールのなかに見いだしつつ、その議論の不十分さを指摘する。たとえばティラヴァーニャの作品について言えば、ランシエールは「その形式的な次元をはじめから見落としている」。つまり、作品の色彩、構成要素、展示室での会話の内容、インスタレーションの構造といった「具体的現実」を、ランシエールはまったく考慮に入れていない。ブリオーによれば、ティラヴァーニャの作品は、ランシエールが言うような政治的効果のみには回収されない。その作品は、ランシエールが考える以上に「形式化された、抽象的な」ものだからである〔32〕。

このブリオーの説明にしたがうなら、かれが頻繁に取り上げるティラヴァーニャやギリックの作品の主眼は、ある「社会関係の産出」にあるのではない。すくなくとも、そのような社会的な効果には還元できない。なるほどランシエールが言うように、芸術の政治的効果は、「身体の配置」や「特定の空間および時間の分割」といった実践のなかにこそある。しかしブリオーは、リレーショナル・アートとよばれる作品こそが、まさしくこの具体的実践の産物であるという。

たしかに、リレーショナル・アートをはじめとする現代の美術作品が「芸術の再政治化」を試みているという評価は、ランシエールによって一方的に下されたものにすぎない。げんに、その一部は政治的行動と見紛うたぐいのものであるのかもしれないが、それらがみな一様に「芸術の再政治化」へむかっているというランシエールの断言は、いささか極端なものであるとの謗りを免れないだろう。

とはいえ、他方のブリオーも、ランシエールの批判を正面から躱しているとは言いがたい。ブリオーはランシエールの批判に触れたあとで、『関係性の美学』が過去こうむってきた批判についていささかうんざりした様子で語っている。ブリオーによれば、「関係性の美学」という概念はこれまで次のような批判にさらされてきた。つまり、「関係性の美学」は形式よりも道徳を上位に置いているのではないか、現実の社会における対立関係を覆い隠したうえで、ある倫理的なモデルを提示しているのではないか、という批判にたえずさらされてきた。しかし、そのような批判は的を外しているとブリオーは反駁する。

ようするに、『関係性の美学』で強調されていたのは、リクリット・ティラヴァーニャやリアム・ギリックの作品における倫理的な次元ではない。そうではなく、対人的な水準において独創的な展示の方法を発明する、かれらの能力こそが強調されていたのである。そのうえ、わたしのエッセイで論じた作家たちの作品は、政治や倫理の領域に関してはきわめて異なる関係にあり、それらが包括的な理論へと行き着くことはない。ヴァネッサ・ビークロフトとクリスティーヌ・ヒルのあいだに、いったいいかなる共通の倫理があるというのだろうか。彼女たちが共有している、政治に対する関係というのはいったい何だと言うのだろうか。〔33〕

ブリオーは、『関係性の美学』において倫理を主題化しなかったことがこうした批判を招いているとし、今日の芸術における倫理的な問題をあらためて主題化しようとする。その中心的な概念こそが、表題にも含まれている「不安定性」である。この概念は『ラディカント』(二〇〇九)でも詳しく展開されているため、ここではその要諦のみを整理するにとどめよう。ブリオーは、「世界を不安定な状態に保つ」ことこそが、今日の芸術における倫理的なプログラムの核心であると述べる。言いかえればそれは、われわれの心身の状態を分割するメカニズムや、個人ないし集団的な行動を支配する規則の、「脆く付随的な性格をたえず肯定していくこと」である。「われわれが生きている世界は、純粋な構築物、すなわち上演、編集、作曲、物語でしかない。そして、それを分析し、語りなおし、イメージやそれ以外のなんらかの手段に応じて変化させていくことこそ、芸術の機能なのである」〔34〕。このように述べるとき、ブリオーの立場は、前述のようなランシエールの芸術/政治に対する立場に限りなく接近していくことにならないだろうか。げんに、その事実をまっさきにみとめるのは著者その人である。

ランシエールが次のように述べるとき、かれはこれと似たような結論に達している――「芸術と政治の関係は、虚構から現実への移行ではない。それは、虚構を産出する二つの方法のあいだの関係なのである」。[35]

かくして、ランシエールに対する反論から口火を切ったブリオーの議論は、最終的にみずからの立場がランシエールのそれに近いものであることを認めたところで、平穏無事に閉じられる。ここにはブリオーの及び腰がすくなからず見て取れるが、しかし、それがすべてであるとも言い切れない。たとえば、『関係性の美学』のある一節において、ブリオーはさきほどのランシエールの立場に近い考えを披露している。それによれば、われわれの現実とは「交渉(ネゴシエーション)の産物」であり、その現実を超出する外部のようなものははじめから存在しない。芸術の仕事とは、現実として与えられている知覚を破壊し、新しい現実を――ひとつの虚構として――つくり上げることなのである[36]。こうしたブリオーの立場は、政治と芸術をともに「虚構」の制作=行為(faire)と捉え、両者を重ね合わせるランシエールの議論を想起させる。そのことを念頭におくならば、芸術と政治の関係は「虚構から現実への移行」ではなく、「虚構を産出する二つの方法」の関係に等しいというランシエールの主張にブリオーが同意しているという事実にも、さほど驚くべき理由はないように思われる。

しかし、それを考慮したうえでなお、釈然としないところが残るのも事実だろう。ランシエールが、リレーショナル・アートとよばれる一連の作品、およびブリオーによるその評価をみずからの議論の発射台(スプリングボード)としたのと同じく、ブリオーもまた、ランシエールによる批判を格好の契機として、「関係性の美学」というかつての概念の弁護を行なっているように見えるからだ。ここまで見てきたように、ブリオーはおのれのテクストに論争的な外観をまとわせつつも、最終的にはランシエールとの真正面からの対決を巧妙に回避している。よって、そこに生産的な論争を期待する読者は、すくなからぬ失望を感じるにちがいない。しかし、以上のやりとりから、ブリオーがかつて提出した「関係性の美学」という概念にいかなる「修正」を加えようとしていたのかを読み取ることはできそうだ。そこでひとつのポイントとなるのは、ランシエールの批判に対する応答のなかでブリオーが引き合いに出した「形式(form)」という概念である。ここですこし時間をさかのぼり、そもそもの議論の発端であったブリオーの『関係性の美学』に目を転じてみよう。

出会いの唯物論

ランシエールへの批判を展開するさいに、ブリオーは次のことをあらためて強調していた。すなわち、

『関係性の美学』において論じられた作家たちに共通するのは、ランシエールが非難するような「芸術」と「政治」を性急に同一視するような姿勢ではなく、「形式的な問題へのアプローチ」である。ティラヴァーニャやギリックの実践を、たんにある社会関係へと姿を変えた芸術実践とみなすことはできない。むしろ、かれらが模索しているのは、ある対人的な水準において機能する「独創的な展示の方法」の発明なのだ。このようなブリオーの言明は、そのさらに十年以上前に書かれた『関係性の美学』における次の命題を喚起せずにはおかない。

関係性の美学とは、ある芸術理論〔théorie de l'art〕を構成するものではない。というのも、そのような芸術理論はある起源や目的にかんする言明を含意するからだ。関係性の美学はむしろ、フォルムについての理論〔théorie de la forme〕を構成する。〔37〕

かつてブリオーは、『関係性の美学』において以上のように書いていた。しかしここで言われる「フォルム(forme)」とは、じっさいのところ何を意味しているのだろうか。それが、具体的な作品の「形」や「形態」、あるいはより抽象的な「形式」とは決定的に異なるものを示しているということは、ブリオーによる次のような定義からもうかがえる。

ここでのフォルムとは何を意味しているのだろうか。それはある一貫した単位、ある構造(内的に依存したものたちの独立した実体)のことであり、それは世界のある典型的な側面を示している。芸術作品がそれを特権的に保持しているのではなく、芸術作品は存在する一連のフォルム全体のひとつの部分集合にすぎない。エピクロスやルクレティウスが先鞭をつけた唯物論的哲学の伝統において、原子は微妙に傾いた経路を通りながら、虚空の中を平行に落下する。その原子のうちのひとつが道を逸れたら、「それは隣の原子との出会いを引き起こす。そして、その出会いが積み重なった結果、世界が生まれる(……)」。これが、フォルムが生じるまでの道筋であり、それは「偏り[déviation]」から、それまで平行していた二つの要素の偶然の出会いから生まれる。世界を創造するためには、この出会いが持続可能な出会いにならねばならない。つまり、それを形成する諸要素が、あるフォルムにおいてひとつにならねばならない。言いかえると、「(氷が「固まる」と言うように)それぞれの諸要素がひとつに固まる」必要があったのだ。[38]

直接の出典こそ明記されていないが、ここに訳出した部分は、すべてあるひとつのテクストの引用および翻案から成り立っている。それは、ルイ・アルチュセール最晩年の遺稿——より正確には死後にそれを編集したもの——である「出会いの唯物論の地下水脈」(一九八二)である[39]。アルチュセールはそこで、観念論や合理主義の伝統に属するタイプの唯物論において抑圧されてきた「出会いの唯物論」について考察している。この世界の事象には、諸々の要素の「出会い」以外の原因や目的はいっさい存在しない。われわれが経験する事象のすべては、不確定で偶発的な原子の「出会い」の産物であり、われわれがそこに見る因果や法則はあとから付け加えられたものにすぎない。アルチュセールはそれを、暫定的な名称として「出会いの唯物論（matérialisme de la rencontre）」とよぶのである〔40〕。

かりにこのアルチュセールの議論に依拠するならば、この世界のあらゆる事象は「出会い」の産物として考えられる〔41〕。したがって、ブリオーも認めているように、先の引用で「持続可能な出会い」による「世界の創造」とよばれていたものは、かならずしも狭義の制作行為に限定されるものではない。しかし、ブリオーはその後すぐさま芸術の問題に照準を絞りつつ、それを独自のしかたで再解釈する。具体的には、ブリオーはこうした「持続する出会い」が、ドラクロワの絵画やシュヴィッタースの作品、クリス・バーデンのパフォーマンスなどに――ようするにあらゆるタイプの芸術作品に――現われていると述べる。しかしブリオーの主張によれば、今日において「フォルム」の素材となるものはますます不明瞭になり、日々進歩する科学技術は、いまだ知られざる「世界のフォルム」をますます貪欲に追い求めている。つまり、加速度的に離散していく世界の構成要素を束ねるには相応の実践が必要となるのだが、現代における「フォルム」産出のための素材となるのは、もはや通常の意味での「物質」ですらない。いわく「現代の作品におけるフォルムは、その物質的なフォルムの外へと拡張している。フォルムとは連結しあう要素のことであり、力動的な凝集の原理なのである」〔42〕――ブリオーがいわゆるモダニズム的な形式主義（フォーマリズム）と袂を分かつのは、まさしくここにおいてである。

一般的に、フォルムは内容物と対照的な輪郭として定義される。しかし、モダニズムの美学がフォルムと内容とのある種の融和〔混同〕に依拠しながら、また両者の創発的な一致に依拠しながら語るのは、「形式的な美〔beauté formelle〕」についてなのである。つまり、そのとき作品は造形的なフォルムを通じて判定されている。かたや、新たに登場した芸術的実践に対するもっとも流布した批判は、それらの「形式的な効果」のすべてを否定し、「形式的な解決」の欠如を指摘することを旨とする。しかし、現代の芸術的実践について考察するのであれば、「形式〔forme〕」ではなく、むしろ「形成〔formation〕」こそが語られねばならなかった。様式や署名の介入によってそれじたいのうちに閉じこもるオブジェとは対照的に、今日のアクチュアルな芸術は次のことを示している。すなわち、フォルムは出会いと力動的な関係のなかにのみ存在するのであり、それは芸術的であるか否かにかかわらず、なんらかの異なる形成(フォルマシオン)による芸術的な提案によって保持される。〔43〕

「フォルム」は出会いと力動的な関係のなかにのみ存在する。いや、先にも見たアルチュセールの議論を想起するならば、「出会い」や「関係」こそ、ブリオーが言う「フォルム」の要因そのものであると言えよう。こうした「フォルム」の定義は、芸術理論においてしばしば援用される「質料」と「形式」という二項対立からは明らかに逸脱している。ところで、かつてクレア・ビショップは「敵対と関係性の美学」において、ブリオーはみずからが思っている以上に形式主義者（フォーマリスト）であるという旨の批判を行なっていた。その理由は次のようなものである。

> たとえばブリオーにとって、ティラヴァーニャが料理しているもの、その方法、その相手は、彼が料理の末にできあがったものを無償でふるまっているという事実ほどには重要ではない。ギリックの〔作品における〕掲示板も、これと似たようなしかたで問いにかけられることになる。つまりブリオーは、掲示板にピン留めされた個々の切り抜きにおいて参照されている文章やイメージについては論じていないし、それらの掲示板の形式的な配置や併置についても論じていない。〔……〕ブリオーにとっては、〔作品の〕構造こそが問題なのである――そしてこの事実において、彼は自分が認識するよりもはるかに形式主義者（フォーマリスト）である。〔44〕

まず指摘しておかねばならないのは、これはブリオーが「不安定な構築物」でランシエールに投げた批判と、基本的に同種のものだということである。そこでブリオーは、作品の形式的な次元をランシエールが「見落としている」としてこれを批判していたわけだが、皮肉なことに、それはかつてブリオーがビショップから投げかけられた批判でもあったということだ。

もちろん、ブリオーとビショップが「form/forme」という言葉で示しているものの内実はまったく異なる。ブリオーはランシエールへの反論を展開するさいに、作品を構成する具体的な要素を「form/forme」とよんでいた。そしてブリオーの批判は、ランシエールがこの「form/forme」を軽視しているという事実にこそむけられていた。それに対してビショップは、ブリオーが作品の具体的な要素には詳しく触れず、その「構造(structure)」のみに目をむけているという意味で、彼を「形式主義者」とよんでいる。ブリオーとビショップは基本的に同じことを語っているにもかかわらず、そこで用いられている「form/forme」という概念の内実は根本から対立しているのだ。しかし、このビショップの言葉は、いまやより厳密な意味で聞き取る必要があるだろう。そもそもアルチュセール/ブリオーにとって、この世界を構成するものこそがほかならぬ「フォルム」である以上、『関係性の美学』におけるブリオーの世界観は、ラディカルな唯物論的一元論としてのフォーマリズムであると言うことができるからだ。その意味で、『関係性の美学』におけるブリオーの立場は、紛うことなき形式主義者(フォーマリスト)のそれである。

とはいえ、ブリオーによるラディカルな「フォルム」概念は、『関係性の美学』以後のテクストを読むにつれ、その可能性を縮減しているように見えなくもない。二〇〇一年に英語で上梓された『ポストプロダクション』において、「form/forme」という語彙はアルチュセール的な「出会いの唯物論」に準じる意味ではなく、ごく一般的な意味でのメディアの諸形式(絵画、テレビ、ヴィデオ)として用いられていた。また、「不安定な構築物」のほぼ直前に公刊された『ラディカント』において[45]、ブリオーはこの「form/forme」という言葉を

『関係性の美学』の当時の含意に引き戻そうと試みてはいるが、そこでの「form/forme」もやはり、ジグムント・バウマンの『リキッド・モダニティ』に依拠した「形」や「形態」の流動性といった意味の次元に収まっている。

ここまでをごく手短に整理すれば、ブリオーにおける「フォルム」という概念は、その時々に応じて、世界そのものを構成する要素にして契機というアルチュセール的な含意から、ごく具体的な形式や形態という含意のあいだをたえず揺れ動いている。もちろん、以上の事実をもってブリオーの「理論」を批判するならば、いくらかの醒めた反発に遭遇することも十分に予想される。ブリオーの主眼はあくまでも、みずからのキュレーションを理論的に補強することにあるのだから、その書き物に厳密な一貫性や整合性を要求することはそもそも無意味である、というのもひとつの立場ではあるだろう。

しかし、それはここでの議論とはまったくべつの話題に属する。本章の目的は、たんにブリオーの議論の瑕疵を指摘することにはないからだ。この小論が試みたのは、第一に、ブリオーとランシエールの理論的対立を通して、政治と芸術をめぐる昨今の混乱した議論に一定の見通しを提供することである。そして第二に、「フォルム」という概念が本質的に孕む曖昧さが、関係性の美学をめぐる理論にいかなる混乱をもたらしているかを示すことである。もちろん、この後者をさらに深く追求していくなら、ある種の無限後退に陥ることは目に見えている。ただひとつだけ言えるのは、ここまで問題にしてきた「フォルム」の概念については、アルチュセールを介して、おそらくマルクスの価値形態論にまで遡る必要があるということだ。先に見たアルチュセールの「出会いの唯物論」が、マルクスの学位論文「デモクリトスの自然哲学とエピクロスの自然哲学の差異」を意識していることは疑いようのない事実である〔46〕。そして、そのアルチュセールに連なるランシエールもまた、むろんマルクスの唯物論から出発している。

この両者の議論を突き合わせることで浮かび上がるブリオーの「フォルム」概念は、時にその非連続的な関係のみが指摘されるグリーンバーグとブリオーの議論を結ぶ地平すらも描き出すだろう。ビショップが『関係性の美学』を通じて透かし見た形式主義者（フォーマリスト）としてのブリオーが屈曲したかたちで示すのは、もうひとりのマルクス主義者であったグリーンバーグのそれとは異なる、もうひとつのフォーマリズムの姿である。

1 Claire Bishop, "Antagonism and Relational Aesthetics," *October*, 110 (Fall 2004), pp. 51-79（クレア・ビショップ「敵対と関係性の美学」星野太訳、『表象』第五号、月曜社、二〇一一年、七五―一一三頁）; Liam Gillick, "Contingent Factors: A Response to Claire Bishop's 'Antagonism and Relational Aesthetics'," *October*, 115 (Winter 2006), pp. 95-107.

2 二〇一一年一二月現在、政治哲学をめぐるランシエールの著作のうち、次のものは邦訳がある。『資本論を読む』（共著、今村仁司訳、ちくま学芸文庫、一九九六―九七年）、『不和あるいは了解なき了解――政治の哲学は可能か』（松葉祥一・大森秀臣・藤江成夫訳、インスクリプト、二〇〇五年）、『民主主義への憎悪』（松葉祥一訳、インスクリプト、二〇〇八年）。

3 クリスティン・ロスによれば、今日の英語圏のアーティストたちにもっとも広く読まれているランシエールの著作は、『感性的なもののパルタージュ〔英題：美学の政治〕』をはじめとする美学の書物ではなく、一九九一年に英訳された『無知な教師』（一九八七）であるという。たしかに同書は、英語圏に紹介されたランシエールの最初期の訳書のひとつではあるが、以上の見積もりはロス自身が『無知な教師』の英訳者であるという事実を差し引いて受け取る必要があるだろう。Cf. Kristin Ross, "On Jacques Rancière," *Artforum*, March 2007, p. 254. 同書の邦訳は次の通り。『無知な教師』梶田裕・堀容子訳、法政大学出版局、二〇一一年。

4 後者の邦訳は次の通り。『イメージの運命』堀潤之訳、平凡社、二〇一〇年。同書に収録されたランズマン批判の論文「表象不可能なものがあるのかどうか」は、当初『人類（*Le Genre humain*）』の特集号「収容所の芸術と記憶（L'art et la mémoire des camps: Représenter exterminer）」（Paris: Seuil, 2001）に掲載された。これと時期を同じくして、当時パリで開催されたアウシュヴィッツの展示における四枚の写真をめぐり、美術史家のジョルジュ・ディディ＝ユベルマンと、ランズマン派のジェラール・ヴァジュマン（ヴァイクマン）が激しい論争を展開したことはよく知られている。このランシエールの論文も、この時期フランス国内で起こった――いささかローカルな――「アウシュヴィッツ論争」の一部に数え入れることができるだろう。詳しくは次を参照のこと。ジョルジュ・ディディ＝ユベルマン『イメージ、それでもなお――アウシュヴィッツからもぎ取られた四枚の写真』橋本一径訳、平凡社、二〇〇六年。

5　以上のうち、現時点では『感性的なもののパルタージュ――美学と政治』（梶田裕訳、法政大学出版局、二〇一〇年）のみ邦訳がある。それ以外の邦訳論文・著作については、『民主主義への憎悪』の巻末に付された書誌を参照のこと。

6　以上のシンポジウムの内容は、のちに以下の著作にまとめられている。Beth Hinderliter et al. (eds.), *Communities of Sense: Rethinking Aesthetics and Politics*, Durham: Duke University Press, 2009.

7　“Regime Change: Jacques Rancière and Contemporary Art,” *Artforum*, March 2007.

8　Jacques Rancière, “The Emancipated Spectator,” *Artforum*, March 2007, pp. 271-280.

9　大森俊克が指摘するように、「関係性の美学」という言葉は、ブリオーが編集委員を務めていた『芸術についての記録（*Documents sur l'art*）』における連載エッセイの題名としてそれ以前から用いられていた（一九九五―九六）。しかし、その後の美術業界に与えた影響に鑑みて、ここではひとまずその出発点を一九九八年に定める。この点については次を参照のこと。大森俊克「リアム・ギリックと『関係性の美学』」『美術手帖』二〇一一年四月号、一一八―一二六頁。

10　“Art of the Possible: Fulvia Carnevale and John Kelsey in Conversation with Jacques Rancière,” *Artforum*, March 2007, p. 257.

11　Jacques Rancière, *Le partage du sensible*, Paris: La fabrique, 2000, pp. 13-14.（七―八頁）これ以後、邦訳が

あるものについては頁数を併記するが、訳文には変更を加えていることをあらかじめお断りする。

12 Jacques Rancière, *Malaise dans l'esthétique*, Paris: Galilée, 2004, pp. 39-40.

13 *Le partage du sensible*, p. 10.（三頁）

14 Jacques Rancière, *Le spectateur émancipé*, Paris: La fabrique, 2008, p. 77.（『解放された観客』梶田裕訳、法政大学出版局、二〇一三年、八九頁）

15 *Ibid.*, p. 57.（六五頁）

16 *Malaise dans l'esthétique*, p. 44.

17 *Le spectateur émancipé*, pp. 58-59.（六五―六七頁）

18 *Malaise dans l'esthétique*, p. 43. なお、ランシエールの「教育的モデル」と「表象的体制」、「原‐倫理的モデル」と「倫理的体制」は、厳密に言えば置換可能な概念ではない。しかしここでは、①『解放された観客』において、前二者に対応する「美的（ないしそれに準じる第三の）モデル」が挙げられていないこと、②同書における「教育的モデル」「原‐倫理的モデル」という語彙の内実が掴みづらいことから、さしあたりこの両者を「表象的体制」「倫理的体制」と言いかえている。

19 *Le spectateur émancipé*, pp. 61-62.（六九―七一頁）

20 *Ibid.*, p. 62.（七一頁）

21 *Malaise dans l'esthétique*, pp. 36-37.

22 *Le spectateur émancipé*, p. 78.（八九頁）

23 住友文彦「身体の贈与――リクリット・ティラヴァニヤ《無題　1996》」、小林康夫＋松浦寿輝（編）『表象のディスクール　⑥創造――現場から／現場へ』所収、東京大学出版会、二〇〇〇年、一三七―一五〇頁。

24 *Le spectateur émancipé*, p. 78.（九〇頁）

25 *Ibid.*, p. 57.（六四頁）

26 *Ibid.*, p. 83.（九五―九六頁）

27 *Ibid.*, pp. 83-84.（九六頁）

28 *Ibid.*, p. 84.（九六―九七頁）

29 *Malaise dans l'esthétique*, p. 44, 79.

30 Claire Bishop, "Antagonism and Relational Aesthetics," pp. 51-79.（七五―一一三頁）

31 Nicolas Bourriaud, "Precarious Constructions. Answer to Jacques Rancière on Art and Politics," *Open*, 17, 2009. 同テクストからの引用はすべてSKORのウェブサイトに掲載されたオンライン版による（最終アクセス：二〇一一年四月三〇日）。リンクは『オープン』のページからはすでに削除されているが、このURLはいまだ有効である（http://www.skor.nl/article-4416-nl.html?lang=en）。なお、ブリオーが英訳のうえ引用しているランシエールの文章が原義を著しく歪めている場合は、仏語原著に依拠しつつ日本語に訳出した。

32 *Ibid.*

33 *Ibid.*

34 *Ibid.*

35 *Ibid.* 強調はブリオーによる。なお、引用文中のランシエールの言葉は基本的にブリオーの英訳に従ったため、すでに引用した仏語原文とは訳文が微妙に異なっている。ひとつひとつ注記はしないが、ブリオーによるランシエールの引用はしばしば原文に対して不正確である。註31に記したように、引用が原義を著しく歪めている場合は仏語原著に依拠しつつ訳出しなおしたが、それ以外の場合は原文のままとした。

36 Nicolas Bourriaud, *Esthétique relationnelle*, Dijon: Les presses du réel, 1998, p. 84; *Relational Aesthetics*, trans. Simon Pleasance & Fronza Woods with the participation of Mathieu Copeland, Dijon: Les presses du réel, 2002, p. 80. 以下、ブリオー『関係性の美学』のページ数は仏語／英語を併記するが、訳文そのものは仏語原著を底本とする。

37 *Esthétique relationnelle*, p. 19; *Relational Aesthetics*, p. 19.

38 *Esthétique relationnelle*, p. 19; *Relational Aesthetics*, p. 19.

39 傍点および括弧（原文ではそれぞれイタリック、ギュメ）で強調されている部分がアルチュセールからの引用である。それ以外の部分も、同テクストの内容がほぼそのまま転用されている。

40 Louis Althusser, « Le courant souterrain du matérialisme de la rencontre » (1982) in *Écrits philosophiques et politiques*, textes réunis et présentés par François Matheron, tome 1, Paris: STOCK/IMEC, 1994, pp. 539-579.（ルイ・アルチュセール「出会いの唯物論の地下水脈」『哲学・政治著作集Ⅰ』市田良彦・福井和美訳、藤原書店、一九九九年、四九九―五二六頁）
アルチュセールの「出会いの唯物論」については次に詳しい。市田良彦『アルチュセール――ある連結の哲学』（平凡社、二〇一〇年）、第四章「最後の〈切断〉」。立木康介『精神分析と現実界――フロイト／ラカンの根本問題』（人文書院、二〇〇七年）、第九章「質料と偶然――アルチュセールからアリストテレスへのひとつの遡行」。

41 ただし市田良彦が指摘するように、「出会いの唯物論」という構想はすでに一九七六年の草稿に見られる。
市田良彦『アルチュセール――ある連結の哲学』前掲書、二七一―二七五頁。

42 *Esthétique relationnelle*, p. 21; *Relational Aesthetics*, p. 20.

43 *Esthétique relationnelle*, p. 21; *Relational Aesthetics*, p. 21.

44 Claire Bishop, "Antagonism and Relational Aesthetics," p. 64.（八八頁）

45 Nicolas Bourriaud, "Radicant Aesthetics," in *The Radicant*, trans. James Gussen & Lili Porten, New York: Lukas & Sternberg, 2009, pp. 79-140.

46 Karl Marx, *Differenz der demokritischen und epikureischen Naturphilosophie*, in *Marx-Engels Gesamtausgabe*, Abt. 1, Bd. 1, Halbband 1, Glashütten im Taunus: D. Auvermann, 1970, pp. 1-146.（カール・マルクス「デモクリトスの自然哲学とエピクロスの自然哲学の差異」中山元訳、『マルクス・コレクション〈1〉』筑摩書房、二〇〇五年、一―一五三頁）

fig. 9
タニア・ブルゲラ
《移民運動インターナショナル》
クイーンズ、ニューヨーク(2011年-)
Tania Bruguera,
The Office of Tania Bruguera's Immigrant Movement International,
2011-, Queens, New York, USA.

fig. 10
トーマス・ヒルシュホルン《スピノザ・シアター》
アムステルダム(2009年)
Thomas Hirschhorn, *Spinoza Theatre*,
2009, Amsterdam, Netherlands.

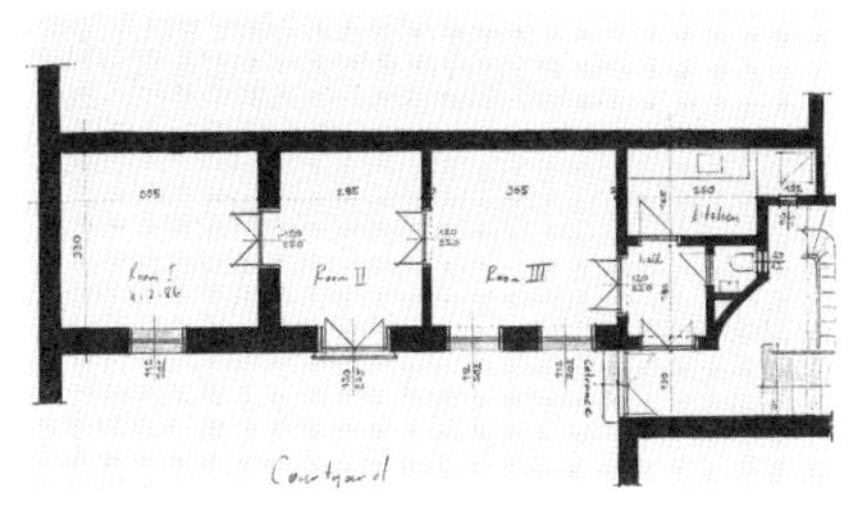

fig. 11
オダ・プロジェシ(ルーム・プロジェクト)《アパートメント・プロジェクト》
ガラタ、イスタンブール(2000-2005年)
Oda Projesi (Room Project), *The Architectural Plan of the Three-Room Flat for the Apartment Project*,
2000-2005, Galata, Istanbul, Turkey.

fig. 12
リクリット・ティラヴァーニャ《無題》ニューヨーク（1992年）
Rirkrit Tiravanija, *untitled (free)*, 1992, 303 Gallery, New York, USA.

fig. 13
ルーシー・オルタ《Nexus Architecture × 50 Intervention Köln》（2001年）
Lucy Orta, *Nexus Architecture × 50 Intervention Köln*, 2001,
original lambda color photograph, laminated, 150 × 120 cm.

第Ⅲ部　生命

7　生成と消滅の秩序

複数の〈生〉

ひとつの単純な事実からはじめよう。あらゆる事物には、それぞれに固有の〈生成〉と〈消滅〉の秩序が存在する。言いかえれば、事物が生を獲得し、その生を失うまでのサイクルは、生命一般のそれとは著しく異なるということだ。

そう、これはあまりにも単純な事実である。だから、今あえてそのような「事実」を確認することに、とりたてて大きな意味があるわけではない。ここで注意したいのはむしろ、そのような事実――「事物が生を獲得し、その生を失うまでのサイクルは、生命一般のそれとは著しく異なる」――が述べられるときに不意にあらわれる「前提」のほうである。

つまりこういうことだ。われわれがなんらかの動機から「事物の生」について語りはじめるとき、そこでは〈生物〉を〈無生物〉に対して優位におき、後者の〈生〉を前者の〈生〉との類比によって語ることが暗黙の前提となっている。それはあたかも、〈生物の生〉こそが本来的な「生」なのであって、対する〈事物の生〉は、あくまでも比喩として見いだされた非本来的な「生」にすぎないと言わんばかりだ。

そうした臆見に対し、ここでは次のことを最大限に強調しておこう。〈生物の生〉と〈無生物の生〉のあいだには、本来いかなる序列もありえない。それゆえ、われわれがひろく共有する通念とは反対に、〈生物の生〉を〈無生物の生〉との類比によって語ることは、いついかなるときにおいても可能である。そして、そのために必要な唯一の前提は、「生」という概念をいったん生物のそれから切り離すことだ。

〈生〉の獲得と喪失

ボリス・グロイスの「生政治時代の芸術」は、そのタイトルが示すとおり、フーコーやアガンベンによって練り上げられてきた「生政治(バイオポリティクス)」という概念を、現代美術をめぐる分析に導入したものだ[1]。しかしそのような要約は、おそらくこのテクストが示す、より重要なポイントを覆い隠してしまうことになるだろう。というのも、そこで真に興味深いのは、芸術作品をめぐるグロイスの考察ではなく、〈事物の生〉をめぐるその特異なまなざしのほうだからである。

そこでグロイスが「生(Leben)」に与える定義はきわめて単純なものだ。「生」とは、われわれがしばしばそう考えるように、生物にのみ特権的に与えられたものではない。むしろ「生」とは、〈そこに生がある〉というしかたでその存在が示され、観測されるときに、はじめて見いだされる。もしもそのように理解するのであれば、「生」を欠いた生物が存在するのと同じ権利において、「生」をそなえた無生物もまた存在することになる。有機的に生成し消滅する「生」をかりに「生命」とよぶならば、ここで問題となっているのは「命」をかならずしも伴わない、より広範かつ遍在的なエレメントとしての「生」である。

グロイスのこのような定義は、〈生物の生〉と〈無生物の生〉のあいだに存在する暗黙の秩序に根本的な疑念を投げかける。ある家が建てられてから朽ち果てるまでのプロセスを、ある手紙が書かれてから灰になるまでのプロセスを、ある作家の筆触が創造されてから放棄されるまでのプロセスを、それぞれ「生」とみなしてはならない理由などどこにもない。しかもそれは、「生命」とのいっさいの関わりなしに「生」とよばれる権利を有しているのだ。

複数の〈生〉の接合

ただし、こうした「生」の背後では、けっして単純ではない複数の力が作動していることも事実である。以上に挙げた対象を構成するすべての物質のうちにも、そして、そこに見いだされるあらゆる様式のうちにも、それぞれに固有の〈生成〉と〈消滅〉の秩序が存在する。時間の流れの只中にあるものは、例外なくこうした生成と消滅のプロセスに晒されている。だが、ここで肝心なのは、そのサイクルがつねに多層的なものであることを正確に見て取ることだ。

われわれが作品とよぶ対象においては、〈作品そのものの生〉と、それを構成する〈物質の生〉および〈様式の生〉が、つねに異なるものとして共立している（もちろん先に見たように、筆触もまたひとつの「生」である）。ひとつの「生」は、本来的に複数の秩序が重なり合ったものであり、それが単一の秩序によって統御されているというのは、あくまでひろく流布した抽象にすぎない。かつてジョージ・クブラーが『時のかたち』において強調したのは、いかなる作品であれ、それがつねに前述のような「複数の現在」の集合として存在している、というきわめて常識的な事実であった[2]。

われわれがあるものを指し示し、それについて何かを物語るとき、そこには「生」が存在している。しかしそこで見いだされた「生」は、ほとんどの場合、きわめて微弱なシグナルを発しているにすぎない。ゆえに、そこになんらかの有意な生成が観測されることは稀であり、むしろそれは他なる「生」との接触や交渉によって——見かけとしては——はじめて賦活されることになるだろう。

そこで、ひとがなんらかの行為体（エージェント）として、そのなかに入っていくというのは当然考えられることだ。いま「行為体」と言ったのは、制作者であれ鑑賞者であれ、そこでひとが作品に対して「主体的に」介入するというのは一種のフィクションにすぎないからである。ある物質に、ある様式に、ある作品に働きかけるとき、ひとはそれぞれに固有の「生」の秩序に触れている。とはいえ他方で、その対象がもつ「生」は、当然のことながらわたしたちの「生」とは異なる。よって、ひとがある対象に出会うとき、行為体はそれがもつ複数の「生」の水準（作品、物質、様式……）と非連続的なしかたで接続される。

「生成」や「触発」という言葉に希望が見いだされるのは、いっさいの有機的なものを欠いた、このような接続が生まれる瞬間においてである。異なる事物や行為体が、なんらかのしかたで非有機的に接続されるときに観測されるエレメント――ここでわれわれが「生」という言葉によって指し示そうとするのは、〈生命〉と〈生命ならざるもの〉、あるいはその両者が互いに連接しあう、この非有機的な「生」の次元である。

1　Boris Groys, »Kunst im Zeitalter der Biopolitik«, in *Topologie der Kunst*, München: Carl Hanser, 2003.（ボリス・グロイス「生政治（バイオポリティクス）時代の芸術——芸術作品（アートワーク）からアート・ドキュメンテーションへ」三本松倫代訳、『表象』第五号、月曜社、二〇一一年、一一四—一二四頁）

2　George Kubler, *The Shape of Time: Remarks on the History of Things*, New Haven: Yale University Press, 1962.（ジョージ・クブラー『時のかたち——事物の歴史をめぐって』中谷礼仁・田中伸幸訳、鹿島出版会、二〇一八年）

8 生きているとはどういうことか——ボリス・グロイスにおける生の哲学

ボリス・グロイスは、第二次世界大戦の終結から二年後の一九四七年に旧東ドイツで生まれ、幼少・青年期を冷戦時代の旧ソ連で過ごした後、七〇年代後半にモスクワ・コンセプチュアリズムにかんする仕事で批評活動を開始した。

批評家としてのグロイスの初期の仕事は、イリヤ・カバコフをはじめとする旧「東側」の非公式芸術を「西側」に知らしめるにあたり、きわめて大きな貢献を果たしたことで知られている。そのいっぽうで、グロイスは八〇年代に旧西ドイツに移り、九二年にミュンスター大学で哲学の博士号を取得後、現在にいたるまでカールスルーエ工科大学やニューヨーク大学をはじめとする欧米の複数の大学で教鞭を執る哲学者でもある。カント、ヘーゲル、ベンヤミンをはじめとするドイツの哲学・思想や、ドゥルーズ、デリダ、フーコーといったフランス現代思想に対する造詣も深く、その知見はグロイスの批評的なテクストの随処に反映されている。もっか、グロイスは旧ソ連の非公式芸術にとどまらず、現代美術におけるさまざまなトピック——たとえばアーカイヴ、インスタレーション、ミュージアム——を縦横無尽に論じる美術批評家として認知されているが、その背後にはヨーロッパ全体を視野に収めた思想的なバックグラウンドが存在することを理解しておく必要があるだろう[1]。

事実、グロイスがこれまでに刊行してきた書物は、狭義の「美術批評」の枠内に収まるものではない。たとえば、近著のひとつである『反哲学入門』(二〇〇九)には、ベンヤミン、デリダ、ハイデガーといった独仏の哲学者を論じた章に加え、ニーチェの「生の哲学」に影響を受けた一九三〇年代の旧ソ連の思想家たちについての章がある。そこで中心的に扱われているのは、グスタフ・シュペート(一八七九―一九三七)、A・A・メイヤー(一八七五―一九三九)、ミハイル・バフチン(一八九五―一九七五)、そして作家ミハイル・ブルガーコフ(一八九一―一九四〇)の四名である。むろん、かれらの思想や著書の内容には一定の懸隔が見られるものの、以上の四名はいずれも、一九世紀末の「銀の時代」の遺産としての「ニーチェ主義」と「ロシア・ソフィオロジー」の伝統に根ざしつつ、スターリン体制に対する批判的な思索を展開していた点で共通している、とグロイスは指摘する[2]。その精緻な記述は、冷戦期より旧西側・東側をまたいで仕事をしていたこの著者だからこそ可能になったものであろう。この論文ひとつをとっても、グロイスの仕事をいわゆる「美術批評」に還元することが不当であることは明らかであり、むしろその最大の特徴は、みずからの文化的なルーツである旧東側と、のちに亡命した旧西側の思想・芸術の双方を視野に収めつつ、それらをかつてないパースペクティヴのもとに統合する点にこそある[3]。

本章が着目するのは、哲学者としての、より限定して言えば「生」の哲学者としてのグロイスの姿である。二〇一七年に邦訳された『アート・パワー』(二〇〇八)をはじめ、グロイスのこれまでの仕事には、「生」をめぐる哲学的な議論がいたるところに見いだされる。それらは、いずれも現代美術における特定の主題——先に見たようなアーカイヴ、インスタレーション、ミュージアム——をめぐって展開されているため見えにくいが、その中心にグロイスその人の「生」をめぐる特異なヴィジョンが存在することは明らかである。それらの断片的な星図をある眺望のもとに再構成することで、そこに見られる「生の哲学」の姿を浮かび上がらせることが、本章の目的である。

あらかじめ述べておけば、ここでいう「生」とは、たんに——人間を含む——生物に固有のそれを指すものではない。歴史的に言っても、「生の哲学」とは、有機体の「生」（＝生命）から人間の「生」（＝人生）にいたるまで、時に形而上学的な議論を交えつつ提示される、広範な問題系を指すものであった。本章では、この「生の哲学」をめぐる問題の所在を簡単に振り返ったうえで、グロイスのテクストに見られる特異な「生」へのまなざしを見ていくことにしたい。

生の哲学

図式的な整理であることを承知のうえで言えば、西欧における「生の哲学」の系譜はおおよそ次の二つに大別される。すなわち、ショーペンハウアー、ニーチェ、ディルタイをはじめ、一九世紀後半から二〇世紀前半にかけてのドイツで隆盛をきわめた「生の哲学」と、ほぼ同時期にラヴェッソン、メーヌ・ド・ビランらを経てベルクソンに受け継がれた、フランスにおける「生の哲学」である。前者が、どちらかといえば個としての人間の実存的な「生」を問題とする傾向が強かったのに対し、後者は人間にかぎらず、あらゆる生命の紐帯としての包括的な「生」の諸相を問題とする点に特徴がある。とりわけ、フランス・スピリチュアリズムをひとつの源流とする後者においては、個々の有機体に宿る生命というより、それらが共有する「生」一般に照準が合わせられているため、「生の哲学（philosophy of life）」と区別して「生気論（vitalism）」とよばれることもある。

他方、今日における「生」の問題を考えるうえでは、むろん生物学や生命科学の知見を避けて通ることはできない。前述の「生の哲学」（ないし「生気論」）が一九世紀から二〇世紀にかけて隆盛をきわめたという事実は、何よりも、合理主義や実証主義の波がすべてを覆い尽くしつつあった当時の学問状況との関わりのもとで考えられるべきである。ようするに当時の「生の哲学」は、合理主義や実証主義には還元されることのない――すなわち、計算的理性によっては捉えがたい――エレメントとしての「生」の姿を強調しつつ、しばしばそれを科学的・実証的な知に対する批判として突きつけたのであった。これを、たとえば具体的な「生」に即して考えてみると、おそらく問題の所在はより見えやすくなる。一般的に生物学とは、科学的・実証的に「生」の知られざる姿を明らかにしてくれる学問であるが、そうであればこそ、生物学が「生」の意味や存在理由をはじめとする思弁的な問題に踏み込むことはない（それは通常の意味における「科学」の埒外にある）。この観点から言えば、「生の哲学」という「生」を哲学的に規定せんとする営みが、生物学による「生」の科学的な解明と相補っていたことは明らかであろう。具体的な「生」の諸相が科学的に解明され、脱神秘化されていったがゆえにこそ、哲学的な観点から「生」の意味や理由を考察するという営みが要請されたのだ、と言ってもよい。

そして言うまでもなく、生物学を中心とする複合的な学問としての生命科学は、いまなお倦むことなく進歩を続けている。とりわけ、遺伝子工学をはじめとする過去数十年間の生命科学の知見は、哲学の分野からもいくつかの重要な反応を引き出した。これらの技術に対する哲学的な応答はすでに二〇世紀後半にさまざまなしかたであらわれていたが、カトリーヌ・マラブー（一九五九―）による近年の仕事は、エピジェネティクスやクローニングがもたらす「生」の変容を扱った、数少ない正面からの応答であると言うことができる[4]。

さらに言えば、生命科学における政治的な含意を批判的に考察するマラブーのような哲学者とはまたべつに、より理論的な立場から、生物と無生物の境界を問いなおす試みも現代哲学のなかには散見される。ここで念頭においているのは、たとえばマーティン・ヘグルンド（一九七六―）のような大陸哲学の伝統を汲む書き手の仕事であるが[5]、同様の試みは人類学（ティム・インゴルド）やメディア論（ユージーン・サッカー）をはじめとする人文学全般のなかにも、すくなからず見いだすことができる。そしてここでもまた、「生」をめぐるかれらの思弁的な洞察を（間接的に）駆動しているのが、われわれの知る従来の「生」の姿に大幅な変更を迫りつつある、生命科学のさまざまな発見であることは言うまでもない。

他方、こうした同時代的な状況を共有しつつも、グロイスその人の「生」をめぐる議論は、かならずしも有機的な「生命」にはむけられていない。むしろ、芸術作品をはじめとする事物の「生」について論じるグロイスの筆致は、あくまでも唯物論的な――作家ではなく作品の――「生」をターゲットとしている。さらにもうひとつだけ付け加えておけば、以下の議論を追うにあたって、有機的な「生」と、非有機的なものにしばしば適用される比喩としての「生」という二分法を想定してはならない。グロイスの「生の哲学」においては、唯一、次のことだけが問われている――事物は、いかなる条件のもとで「生」を有することになるのか。以下ではそれを具体的に検討していこう。

生を物語ること――ドキュメンテーション

議論を始めるにあたり、まずはこの「生」という主題をもっとも直接的に扱った「生政治時代の芸術」(二〇〇二)を取り上げよう。同年にドイツ・カッセルで行なわれたドクメンタ11のカタログを初出とするこの論文は、そのタイトルが示すとおり、フーコーやアガンベンによって練り上げられてきた「生政治」という概念を、現代美術をめぐる議論に導入したものである。しかし他方、そのような要約は、おそらくこのテクストに含まれるより重要なポイントを覆い隠してしまうことになるだろう。というのも、そこで興味深いのは、表題にあるような「生政治時代の」芸術をめぐる同時代的な診断などではなく――言うまでもなく、この表題はベンヤミンの「複製技術時代の芸術作品」への目配せである――、その途上で示される「生」の特異な規定のほうだからである。

すこしずつ敷衍しよう。まず、ここでグロイスが「生」に与える定義はごく単純なものであり、同時にいささか奇妙なものだ。グロイスによれば、「生」とは、われわれがしばしばそう考えるような、生物にのみ特権的に与えられた「何か」ではない。むしろ、「生」とは〈そこに生がある〉というしかたでその存在が示され、観測されるときに、はじめて見いだされるものである。のちの議論との関連で言えば、ある対象の「生」はそれじたいとして存在するのではなく、それを見いだす第三者の存在によって保証されるのだ、と言ってもよい。もしもそのように理解するのであれば、「生」を欠いた生物が存在するのと同じ権利において、「生」をそなえた無生物もまた存在しうる、ということになる。有機的に生成し消滅する「生」をかりに「生命」とよぶならば、ここで問題となっているのはむしろ、かならずしも「生命」を伴わない、より広範かつ遍在的なエレメントとしての「生」である。

テクストのなかで明示的に述べられているわけではないにせよ、グロイスのこのような「生」の定義は、〈生物の生〉と〈無生物の生〉のあいだに存在する暗黙の秩序――あるいは先述したような〈本来的な生〉と〈比喩としての生〉という区分――に根本的な疑念を投げかけることを意図しているように思われる。ある家が建てられてから朽ち果てるまでのプロセスを、ある手紙が書かれてから灰になるまでのプロセスを、ある作家の筆触が創造されてから放棄されるまでのプロセスを、それぞれひとつの「生」とみなしてはならない理由などどこにもない。しかもそれは、いわゆる「生命」とのいっさいの関わりなしに、「生」とよばれる権利を有しているのだ。

以上のことをあらかじめ確認したうえで、具体的にテクストの内容を見てみよう。グロイスは、従来の芸術において前提とされてきた「芸術作品／アートワーク（artwork）」と、それに代わり台頭しつつある「芸術の記録／アート・ドキュメンテーション（art documentation）」の差異について次のように述べている。

伝統的な理解によれば、芸術作品［artwork］とはそれじたいが芸術［art］を体現し、芸術を直接的に現前させ、目に見えるものにするような何かのことである。展覧会を訪れるとき、われわれは通常そこに——絵画、彫刻、ドローイング、写真、ヴィデオ、レディメイド、インスタレーションのいずれであれ——芸術があると前提している。むろん芸術作品は、現実の対象や特定の政治的主題といったみずから以外のものを、なんらかのしかたで指し示すことができる。だが、それそのものが芸術である以上、それが芸術を指し示すことはできない。しかしながら、展覧会や美術館に見いだされるこの伝統的な前提は、次第に曖昧なものとなっている。今日のアート・スペースでは、芸術作品だけでなく、アート・ドキュメンテーションに対面する機会がますます増加しているからである。なるほど、アート・ドキュメンテーションもまた、絵画、ドローイング、写真、ヴィデオ、文章、インスタレーションといった形式――すなわち、伝統的に芸術を提示してきたものと同じ形式や媒体――を採用する。しかし、アート・ドキュメンテーションの場合、これらの媒体は芸術を提示するのではなく、ただその記録だけを行なう。その定義上、アート・ドキュメンテーションは芸術ではない。それは芸術を指し示すだけであり、まさにそのことによって、芸術がもはやそこに現前し、直接的に目に見えるのではなく、むしろ不在であり隠されていることを明らかにするのである。〔6〕

（AP 53 : 91-92）

ここで簡潔に述べられているように、アート・ドキュメンテーションとは、芸術でもなければ、それを体現する芸術作品でもなく、ただそれを「指し示す」ような芸術形式のことである。たとえそれが、絵画、彫刻、写真、ヴィデオ、インスタレーションといった、いわゆる「芸術作品」と同じ媒体を用いていたとしても、定義上、それは芸術作品と同一のものではない。というのも、アート・ドキュメンテーションにおけるこれらの媒体は、芸術を作品として「提示する（present）」のではなく、それじたいとしては目に見えない芸術を「記録する（document）」ために用いられているにすぎないからである。

ここで重要なのは、以上のようなグロイスの議論が、アート・ドキュメンテーションという形式を芸術作品に付随する二次的なものとして否定したり、あるいはそれを新しい芸術の可能性として称揚したりするためになされているわけではない、ということである。とりわけ後者について言えば、ここでは「芸術作品」と「アート・ドキュメンテーション」という二つのカテゴリーを別々に考えることこそが、何よりも重要なのである。両者はそもそも機能や目的を異にしている。そして、芸術作品とは異なるアート・ドキュメンテーションの機能および目的とは、純粋な活動としての〈芸術＝生〉を指し示すことである、とグロイスは言う。

芸術作品ではなく、アート・ドキュメンテーションの生産に身を捧げる者たちにとって、芸術は生に等しい。というのも、生とは本質的に純粋な活動であり、なんらかの最終結果にいたるものではないからだ。その最終結果をなんらかのかたちで——ようするに芸術作品というかたちで——提示することは、生をたんなる機能的なプロセスとして理解していることを意味するだろう。そうなれば、生そのものの持続は、成果物の創造によって否定され、消滅させられてしまう——それは死に等しいことだ。美術館が伝統的に墓場と比較されてきたのは偶然ではない。芸術を生の最終結果として提示することで、美術館はこの生を決定的に消滅させるからである。これに対してアート・ドキュメンテーションは、アート・スペースのなかで芸術的な媒体を用いることにより、生そのものを指し示そうとする試みである。言いかえればそれは、純粋な活動、純粋な実践、芸術的な生を——直接的に提示することなく——指し示す試みである。芸術が生の形式となる一方で、芸術作品は非芸術に、すなわちこの生の形式のたんなる記録となる。芸術はそこで生政治的なものになる、と言うこともできよう。なぜなら、そのとき芸術は、さまざまな芸術的手法を用いることで、生をある純粋な活動としてつくり出し、記録しはじめているからである。(AP 54 : 93-94)

ここでのグロイスの関心は、「生政治」の時代における典型的な芸術形式としてのアート・ドキュメンテーションの実相を明るみに出すことにある。「生政治」――ないし「生権力」――とは、言うまでもなくフーコーが提起し、その後アガンベンらによって新たに光を当てられた政治哲学的な概念である。このような文脈をふまえつつグロイスが述べるところによれば、アート・ドキュメンテーションとは「いかにして生物が人工物によって置き換えられ、人工物が物語という手段によって生物へと転じるかを示すことにより、生政治の領域を描き出す」(AP 58 : 99)ものなのである。

アート・ドキュメンテーションの重要な事例としてグロイスが取り上げるのが、一九七〇年代から八〇年代にかけてモスクワで活動した「集団行為」である。当時、モスクワで数多くのパフォーマンスを行なったかれらの活動およびその記録は、以上のように定義されたアート・ドキュメンテーションの典型例と見ることができる。というのも、文書や写真からなるそれらのドキュメントは、パフォーマンスそのものを提示するための忠実な媒体ではけっしてないからだ。それらの記録は、芸術「作品」ではなく、そのパフォーマンスに参加した人々の経験、思考、反応を描き出したものである。なおかつ示唆的なのは、その中心となるテクストが「きわめて説話的で、文学的な性格」を持っていたと言われることだ(AP 58 : 100)。そのテクストや記録写真は、慣習的な意味での「芸術作品」ではない。それらはむしろ「記録行為(ドキュメンテーション)」として、かつて生じた純粋な活動としての「生」を――すなわち「芸術」を――指し示すものなのだ、というのがここでのグロイスの見立てである。

他方、生物と人工物の境界の峻別不可能性というテーゼについては、映画『ブレードランナー』(一九八二)などに登場するレプリカントが例に示される。『ブレードランナー』にかぎらず、一部のSF作品に登場するレプリカントは、しばしば偽の記憶を、すなわちみずからが人間として出生したという記憶を植えつけられている(より最近の映画を例に取るなら、『ゴースト・イン・ザ・シェル』(二〇一七)を思い出してみればよい)。存在しないはずの家族の肖像写真や、かつてみずからが経験した出来事の記憶を与えられることで、かれらも、その周囲の人間も、レプリカントを生きたものとして認識する。肝要なのは、外見的にも内面的にも人間と違わぬレプリカントを人間と区別しようとしても――『ブレードランナー』のレイチェルがそうであったように――基本的にそれは無益な試みに終わるということだ。これらのSF作品がわれわれに教えるのは、たがいに見紛うばかりとなった生物と人工物の区別は、究極的には「物語のなかでのみ可能になる」ということだからである(AP 57 : 98)。

以上を通して見たように、「生政治時代の芸術」におけるグロイスの議論は、(1)「生」の定義そのものをめぐる議論と、(2)現代美術における「ドキュメンテーション」をめぐる議論の二つに分裂しているように見える。よってここでは、ほかにグロイスが挙げるソフィ・カルやカールステン・ヘラーの作品を詳しく論じることはせず、そこで示される「生」の定義にのみ照準を定めていこう。繰り返しになるが、その要点は次の二つである。

第一に、グロイスにおける「生」とは、生物学的なそれとは異なるものである。アート・ドキュメンテーションは「生けるものの生それじたいを」生み出すことができるとされているが、ようするにそれは、その対象が生物であるか人工物であるかにかかわらず、「ある対象の存在を歴史のなかに」書き込み、その存在に「生の持続」や「客観的な生そのもの」を与えることに相当する(AP 57 : 97)。

第二に、ここでは生物と人工物を、それが有機的であるか否かという観点から峻別することは想定されていない。生あるものとそうでないものの差異は、それが「伝えられ、記録され、語られるかどうか」にかかっている。言いかえれば、両者の差異は「説話上の差異」である(AP 57 : 97)。これが意味するのは、たとえまったく「生物」でありえないような事物でさえも、「物語によって」ひとたび起源や来歴を付与されるならば、それによって生を獲得することができるということである。

この「生」の定義は、大いに刺激的な内容を含んでいる。このような観点からすれば、われわれは生物のみならず、まったく生きているようには見えない事物のなかにも「生」を見いだすことが可能になる。繰り返しになるが、ここでいう「生」とは、生物があらかじめ所与として持っているような何かではない。「生」とは、物語がそこに付与されるかどうかによってその存在が左右されるようなものである。人間やそれ以外の生物にかぎらず、たんなる事物、そして出来事にさえも「生」を付与するのは、このような物語なのである。

生を導き入れること――インスタレーション

ここまで見てきたグロイスの議論にしたがえば、物語は以上のような意味における「生」が存在するための条件である、と言ってさしつかえないだろう。とはいえ、物語というものが基本的には直線的な構造を持ったものである以上、あくまでそれは時間的な条件にとどまらざるをえない。これに対して、「生」が存在するためのもうひとつの条件、すなわち空間的な条件となるのは、アート・ドキュメンテーションとは異なる現代美術の形式、すなわちインスタレーションである。この話題をめぐって参照すべきグロイスのテクストは多岐にわたるが、そちらに目をむけるに先立って、引き続き「生政治時代の芸術」におけるいくつかの記述を見ておきたい。そこではアート・ドキュメンテーションとインスタレーションの関係について、次のように述べられている。

> 通常、アート・ドキュメンテーションはインスタレーションの文脈において示される。しかしながら、インスタレーションとは、それを構成するイメージ、テクスト、さらにそれ以外の要素のみならず、空間

そのものが決定的な役割を担う芸術形式である。この空間は抽象的でも中立的でもなく、それじたいが芸術作品であるとともに、生の空間なのである。（AP 61 : 103）

アート・ドキュメンテーションは、通常インスタレーションとして、あるいは同じことだが、インスタレーションのなかに位置づけられるものである。というより、そうでなければ、それらの記録はおそらくアート・ドキュメンテーションとして成立することはない。インスタレーションは、いかに凡庸な事物であれ、その空間内にあるものを一様に「作品」（の構成要素）へと転じせしめる機能をもっている。日常的には見むきもされない凡庸な事物が、インスタレーションの空間においては代替不可能な作品の一部へと変化する。そのような意味において、インスタレーションとは「特定の空間内における記入行為」であり、ただの中立的な展示空間なのではない。先の一節によれば、何かを物語るということは、ある対象に時間的なレヴェルで「生」を付与する行為であるとされていた。これに対し、何かをインスタレーションの空間に導き入れるということは、同じことを空間のレヴェルで行なうことに相当する。これらを総合しつつ言えば、ある対象がそれ固有の「生」を有しているということは、それが〈いま、ここ〉にあるオリジナルなものであるということに等しい。ベンヤミンを引き合いに出して言えば、生きているということは、そのような〈いま、ここ〉のアウラをまとっているという事態にほかならない。

オリジナルであること、アウラを保持しているということは、生きていることに等しい。とはいえ、生とは生物が「それじたいとして」所有しているようなものではない。むしろ生とは、ある存在者を生の文脈のうちに――生の持続および生の空間のなかに――記入することなのである。

（AP 64 : 109）

以上の議論を記憶にとどめつつ、ほかのテクストに目を転じてみよう。「インスタレーションの政治学」（二〇〇九）において、グロイスはいわゆる「標準的な展示」と「芸術家による展示」の違いについて――ここでの「展示（exhibition）」は「インスタレーション（installation）」とほぼ同義である――次のような重要な指摘を行なっている。

まず、誰もがすぐさま思い至るように、ここで言う「標準的な展示」と「芸術家による展示」の最大の違いとは、キュレーターとアーティストのどちらがその展示に対する責任を負っているかという点にある。一方の「標準的な展示」において、「キュレーターの役目は、個々の芸術作品を公の空間に持ち込み、それを公衆に接近可能なものとすることで、その公的な性格を保護すること」にある。ここで繰り返される「公的な（public）」という表現は、それが公立の機関であろうと、私立の機関であろうと原理的には変わりがない。ここで重要なのは、いかなる種類の展示であれ、作品を公衆の面前に晒すうえでの責任者として、キュレーターの存在が要請されるということだからである。さらに言えば（当然のことだが）個々の作品はみずからの姿を自力で他者の目に晒すことはできない。その意味で、作品とはいわば病院で面会を待つ入院患者のようなものであり、患者が面会人と出会うためには、それを仲介する病院の責任者が必要になる。こうした譬えを交えつつ、グロイスはそのような「作品」と「キュレーター」の関係を次のような美しい表現によって言い表している――「キュレーションを行なう〔curating〕ということは、イメージの無力さを、すなわちイメージがみずからを示すことの不可能性を癒す〔cure〕ことなのである」(GP 53 : 67-68)〔7〕。

これに対して、芸術家の手によるインスタレーションの場合、展示空間はたちまち「私的な」ものへと転じる、とグロイスは言う。むろんこの場合も、原則的に展示空間の公共性は保たれており、対外的にその責任を負う第三者(=キュレーター)が存在するのが常である。しかし同時に、芸術家がつくり上げる「作品」としてのインスタレーションにおいては、「空っぽの、中立的な、公的な空間」そのものが、ひとつの芸術作品へと変化する。なぜなら「このような空間に含まれるものは何であれ、その空間内にあるというだけの理由で、芸術作品の一部となる」からだ(GP 56 : 70)。そして来場者は、目の前にある展示空間そのものを、ひとつの作品として経験することになる。

グロイスは両者の違いを、マルセル・ブロータースの《近代美術館・鷲部門》(一九七二)というインスタレーションを例に取りながら説明する。同作は、「鷲」をモチーフとするさまざまな事物を展示したインスタレーション作品である。もしも、これが「鷲」をめぐるさまざまな事物を網羅的に展示することを目的にした「標準的な展示」であれば、その展示方法や蒐集作品の欠落についてあれこれ不備を指摘することができるかもしれない。しかし、これがブロータースという作家のインスタレーション作品として提示されている以上、そのような個々の不備をあげつらうことに本質的な意味はない（批判がなされるとしたら、それは芸術家が統御するインスタレーション空間全体に対してむけられるべきものである）。

いずれにせよ、芸術家によるインスタレーションは、ある空っぽの中立的な空間を、ひとつの芸術作品を構成する包括的な空間へと変える。なるほど、「インスタレーションが特定の芸術形式としての身分をしばしば否定されてきた」（GP 55 : 69）ことが事実だとしても、実のところそれは、まぎれもなくひとつの芸術形式をなしている。しかし、なぜそのようなことが言えるのか。前世紀の美術理論における「媒体固有性（medium specificity）」の問題に即して言えば、いかなる芸術形式も、それ固有の物質的支持体を具えていなければならない。それでは、「インスタレーションに固有の」媒体とはいったい何であるのか。グロイスによれば、それは「空間」そのものである。

伝統的な芸術の媒体は、いずれもそれ固有の物質的支持体——カンヴァス、石、フィルムなど——によって規定されてきた。［他方で］インスタレーションという媒体の物質的支持体は、空間そのものである。このことはしかし、インスタレーションがなんらかの意味で「非物質的」であるということを意味しない。むしろそのまったく反対に、インスタレーションとは空間的なものなのだから——そして空間内にあるということは、物質であることのもっとも一般的な定義なのだから――、それはすぐれて物質的と言えるのである。（GP 55 : 69）

ここで、インスタレーションは空間そのものを「固有の媒体」とする芸術形式として捉えなおされている。むろん、空間を「カンヴァス、石、フィルム」などと並ぶ「物質的支持体」のひとつとみなすことの妥当性は問われるべきだが、いずれにせよ、グロイスがインスタレーションという形式に与える規定は以上から十分に明らかになったと思われる。ここで、インスタレーションをめぐる二つの要点を整理しよう。

第一に、インスタレーションとは生の空間である。インスタレーションは固有の物質的支持体を欠いた芸術形式ではいささかもなく、むしろ――空間中に存在するということが物質のもっとも一般的な定義である、という理由により――すぐれて物質的な形式と考えられるのである。そして、そのような空間内に含まれる存在者は、なんであれ「生の文脈」すなわち〈生の持続〉と〈生の空間〉のなかに置き入れられることになる（AP 64 : 109）。

第二に、インスタレーションとは、ベンヤミンの言葉を用いれば「世俗的な啓示」がなされる「アウラの発生のための場」である（GP 65 : 75）。それは、たとえ複製物であっても、ある対象を〈いま、ここ〉という文脈のなかに置き入れ、それをオリジナルなものにする。そしてグロイスによれば、対象がアウラを保持しているということの条件こそ、まさしく〈生きている〉という事実に等しいことなのだ。

最後に、『流れのなかで』に収められた二つの論文――「理論のまなざしのもとで」(二〇一二)と「アート・アクティヴィズムについて」(二〇一四)――にも目を転じておきたい。表題からはまったく異なる主題を扱っているかに見えるこの二つの論文においても、ところどころで重要な役割を担うのは、やはり特殊な含意のもとで用いられる「生」の概念である。

前者のテクストにおいて、グロイスは現代美術における理論の役割について、次のような議論を展開している。まず注意すべきは、ここでの「理論(theory)」という用語が、ある特定の理論や、反対に理論一般を指すものではなく、一九世紀以降に生まれたいわゆる「批評理論(critical theory)」を念頭においたものだということである。グロイスの整理にならって大掴みに言えば、理性に絶対的な信頼を寄せ、芸術や宗教を批判してきたのが一九世紀以前の哲学であるとするなら、(批評)理論はそのような従来の哲学を批判すべく現われてきたものにほかならない。理性の力に信頼を寄せ、ただそれに立脚することを旨としたかつての哲学にとって、その外部にある芸術や宗教は、人々のあいだに虚偽と幻想を撒き散らす悪しきものでしかなかった。

つまり、「理性、合理性、伝統的な論理学」に無批判に立脚していたそれまでの「哲学」への批判として登場したものこそ、ここでグロイスが「理論」とよぶものにほかならない（IF 26）〔8〕。そして以上のような意味での理論の源泉を、グロイスはマルクスとニーチェに見る。マルクスが理性の自律性を階級構造にもとづいた幻想にすぎないとして批判する一方、ニーチェは理性をその疑わしい派生物とともに批判した、というのがその大筋の理由である。

そのような来歴をもつ理論の役割とは、哲学を外部のまなざしのもとで見ることである。言いかえれば、理論は哲学そのものをまなざし、それを哲学の外部に位置づけることを使命とする。かくして理論は、生けるものが例外なく必要とする大文字の「他者」のまなざしを、哲学そのものに対して差しむける。グロイスが言うように、「われわれはみずからの時空間的な存在の限界を内的に経験することはできない。われわれはみずからの誕生の瞬間に立ち会うことも、死の瞬間に立ち会うこともない。〔……〕わたしが時空間内におけるおのれの存在の限界を発見するためには、〈他者〉のまなざしを必要とする」（IF 27）。同じことだが、「わたしは自分が何を考えているのかを知っている。しかし、自分がどのように生きているのかは知らない――さらに言えば、わたしは自分が生きているということすら知らない。わたしは自分を死者として経験することができないのだから、自分が生きているということを経験することすらできない」（IF 28）。

このような「生」のイメージが、前節までに検討してきたそれの延長線上にあることは明らかだろう。

先にもさまざまなしかたで述べられていたように、われわれが生きていること、あるいはその生を可能にしているものが何であるかを知ることは、けっして容易なことではない。すくなくともそのためには、われわれが〈生きている〉という事実を保証してくれるものとしての「他者」のまなざしが必要なのだ。

わたしは、自分が生きているかどうかを、そしてどのようにして生きているのかを他者に問わなければならない——このことが意味するのは、わたしが実際に何を考えているのかということすら、わたしは他者に問わなければならないということである。というのも、いまやわたしの思考は、わたしの生によって規定されていると見ることができるからだ。生きるということは、〈死者としてではなく〉生者として、〈他者〉のまなざしに晒されることなのである。（IF 28）

このような「生」と「理論」をめぐる考察から、何が導き出されるだろうか。これに続けてグロイスが述べるように、われわれの「生」が〈他者〉のまなざしによって保証されるのだとするなら、人はみずからが生きていることを証明すべく、それを〈他者〉の前で実演しなければならない。しかし、それは具体的にいかにしてなされるのか。言いかえれば、〈生きている〉という事実そのものをめぐる知とはいかなるものか。その範例となるのが、ほかならぬ芸術であるとグロイスは言う。つまり、ある生の様式を実演する必要があるわれわれに対して、そのさまざまな様式を提示してくれるものこそが芸術である、というのだ。

事実、芸術の主要な目的とは、生の諸様式を示し、晒し、展示することにある。ゆえにこそ、芸術はなんらかの知によって、あるいはそれを通じて、生が何であるかを示すことにより、しばしば知の実演者としての役割を担ってきたのである。　（IF 30-31）

以上のことが具体的に意味するものとは何だろうか。グロイスは、目的論的なものとして理解されてきた「歴史」を参照することで、この問題に対し一定の解答を与える。マルクスとニーチェによって切り開かれた先の批評理論にしたがえば、「生」とは「非目的論的な、純粋な物質的過程として理解される」（IF 36）。したがって、「生を実践する」とは、「それが死によっていかなるときにも中断される可能性に意識的であること——そして、いかなる定められた目的も、目標も、いっさい追求しない」ことである。というのも、「そのような追求もまた、死によっていかなるときにも中断されうる」ものだからである（IF 36）。非目的論的な、純粋な物質的過程として「生」を捉える発想は、本章の前半で見たドイツ的な「生の哲学」の流れを多分に汲むものであるだろう。近年のテクストにおいては、そのような「生」の姿がいっそう強調される傾きがあるように思われる。そしてこのことは、以前からグロイスがさまざまなところで繰り返してきたような、「墓場としてのミュージアム」という問題とも無関係ではない。

前節において参照した「生政治時代の芸術」でも、「生とは本質的に純粋な活動であり、なんらかの最終結果に至るものではない」とされていたが（AP 54 : 93-94）、そのような発想からすれば、その結果を芸術作品というかたちで提示することは、「生をたんなる機能的なプロセスとして」理解することに等しい。そのような前提のもとで言うなら、純粋な活動としての「生」を作品化すること、ひいてはそれをミュージアム（美術館、博物館）に所蔵することの意味は、その「死」以外にはありえない。

むろん、そのような発想そのものはけっして新しいものではない。事実、ミュージアムは墓場である、といったたぐいの議論は、過去にもさまざまなされてきた。とりわけアドルノ以来、「美術館（museum）」と「霊廟（mausoleum）」のあいだの共通性を指摘する議論には事欠かないが、グロイスもそのような議論にみずからを連ねつつ、「アート・アクティヴィズムについて」のなかで次のような指摘を加えている。それによれば、なるほどミュージアムは墓場にほかならないが、ただしそれは現実に存在する墓場以上の、極めつけの墓場であるという。

> 一九世紀においてすでに、ミュージアムはしばしば墓場に、そしてキュレーターは墓掘り人に擬えられてきた。しかしながら、ミュージアム以上に墓場らしい墓場というものは存在しない。現実の墓場は、死者の死骸を晒すことなく、むしろエジプトのピラミッドのようにそれらを隠すものだ。その死骸を隠すことにより、墓は暗く隠された神秘的な空間をつくり上げ、そうすることで復活の可能性を仄めかす。［……］しかしながら、日の下にあるミュージアムは、復活や、過去の回帰をいっさ

い許容しない、決定的な死の場処である。ミュージアムとは、過去を取り返しようもなく死んだものとして提示する、真の意味での根源的な、無神論的かつ革命的な暴力を制度化するものである。それは、もはや立ち戻ることのできない、純粋に物質的な死であり、復活の不可能性の証拠として機能する、審美化された物質的な死骸なのである。（IF 48 : 130-131）

おそらく以上のような認識こそが、先に見た「アート・ドキュメンテーション」と「インスタレーション」をめぐる議論の出発点であるのだろう。純粋な活動、すなわち「生」としての芸術を作品という死骸へと転じ、さらにそれをミュージアムという空間に収集・保存・展示するという一連の行為こそ、フランス革命以来、芸術の名のもとになされてきた事物の「美学化」、すなわち「脱機能化」の帰結として生じてきたものであるからだ（IF 47 : 130）。死骸となった事物にふたたび「生」を付与すること——それこそ、グロイスがドキュメンテーションやインスタレーションを通して見る「救済」の可能性にほかならない。

ここまで、グロイスのテクストから「生の哲学」とよぶべき側面を抽出してきた。物語、インスタレーション、そして他者のまなざし——これらはある実体に「生」を付与するための不可欠な要素である。そしてそれは、生きた主体にとどまらず、あるいはそれ以上に、有機的な生命を欠いた対象にも同じく適用されるものである。この問題をめぐるグロイスの議論は、それがいかに思弁的な試みに見えようと、生物と無生物、あるいは生命と人工物の境界が不分明になりつつあるこの時代において、「生」のステータスを問いなおすための、有益な示唆を与えてくれるものであるだろう。

1　グロイスの哲学的な仕事としては、『反哲学入門』のほか、とりわけデリダのさまざまなテクストへの言及を含む『新しさについて』（一九九二）が注目に値する（『アート・パワー』に収められている同名のエッセイとは別内容）。Boris Groys, *Über das Neue*, München: Carl Hanser, 1992; *On the New*, trans. G. M. Goshgarian, London: Verso, 2014.

2　この論文の初出はBoris Groys, "Nietzsche's Influence on the Non-Official Culture of the 1930s," in Bernice Glatzer Rosenthal (ed.), *Nietzsche and Soviet Culture: Ally and Adversary*, Cambridge: Cambridge University Press, 1994である。同論文を再録した『反哲学入門』の書誌情報は次の通り。Boris Groys, *Einführung in die Anti-Philosophie*, München: Carl Hanser, 2009; *Introduction to Antiphilosophy*, trans. David Fernbach and Maria Carlson, London: Verso, 2012.

3　グロイスは、二〇〇〇年代前半まではおもにドイツを拠点としており、著作もロシア語かドイツ語によるものがほとんどであった。しかし、二〇〇五年より特別教授として、二〇〇九年より教授（専任）としてニューヨーク大学（NYU）で教鞭を執りはじめたことをおそらく大きなきっかけとして、近年では英語による仕事が多数を占めている。近年のグロイスの批評的なテクストの多くは、『e-flux』というオンライン・ジャーナルで発表されている（http://www.e-flux.com/）。

4　Catherine Malabou, *Avant demain. Épigenèse et rationalité*, Paris: PUF, 2014; *Before Tomorrow: Epigenesis and Rationality*, trans. Carolyn Shread, Cambridge: Polity, 2016.（カトリーヌ・マラブー『明日の前に――後成説と合理性』平野徹訳、人文書院、二〇一八年）関連するものとしては次も参照のこと。Catherine Malabou, « Une seul vie : Résistance biologique, résistance politique », *Esprit*, janvier 2015, pp. 30-40.（カトリーヌ・マラブー「ただひとつの生――生物学的抵抗、政治的抵抗」星野太訳、『表象』第一一号、月曜社、二〇一七年、九八―

一〇九頁）

5　ヘグルンドにおける思弁的な「生」の規定については、デリダを論じた*Radical Atheism: Derrida and the Time of Life*, Stanford: Stanford University Press, 2008（マーティン・ヘグルンド『ラディカル無神論——デリダと生の時間』吉松覚・島田貴史・松田智裕訳、法政大学出版局、二〇一七年）と、メイヤスーを論じた "The *Arche-Materiality* of Time: Deconstruction, Evolution and Speculative Materialism," in Jane Elliott and Derek Attridge (eds.), *Theory after 'Theory'*, London: Routledge, 2011, pp. 265-277（マーティン・ヘグルンド「時間の原物質性——脱構築、進化、思弁的唯物論」星野太訳、『思想』一〇八八号、二〇一四年、一二三—一四一頁）を参照のこと。

6　AP: Boris Groys, *Art Power*, Cambridge, MA: MIT Press, 2008. 本書ではこの英語版を底本とし、（AP 53 : 91-92）のようなかたちで邦訳（『アート・パワー』石田圭子・齋木克裕・三本松倫代・角尾宣信訳、現代企画室、二〇一七年）の頁数を添えた。ただし、文脈などに応じて訳文には適宜変更を加えている。これ以後の引用文において、傍点は原文のイタリックを、〈　〉は大文字で示されている単語を示す。

7　GP: Boris Groys, *Going Public*, New York: Sternberg Press, 2010. 本書ではこの英語版を底本とし、（GP 53 : 91-92）のようなかたちで邦訳（「インスタレーションの政治学」星野太・石川達紘訳、『表象』第一二号、月曜社、二〇一八年）の頁数を添えた。

8　IF: Boris Groys, *In the Flow*, London: Verso, 2016.（部分訳「アート・アクティヴィズムについて」大森俊克訳、『美術手帖』二〇一七年五月号、一二四—一四一頁）

9 第一哲学としての美学――グレアム・ハーマンの存在論

二〇〇〇年代後半から二〇一〇年代前半にかけて、英語圏における新たな思想潮流として出現した「思弁的実在論(Speculative Realism)」は、大局的に見るかぎり、いまだ求心力を失うことなくその勢力範囲を拡大しつつある。カンタン・メイヤスー、グレアム・ハーマンという二人の中心人物の精力的な著述活動は言うにおよばず、レイ・ブラシエやイアン・ハミルトン・グラントが自然哲学をめぐって議論を交わし、さらにはマーティン・ヘグルンド、ピーター・ホルワード、スティーヴン・シャヴィロをはじめとするその周囲の論者たちが、それぞれの書物や雑誌上で互いの議論を批判の俎上に載せる――その応酬によって織りなされる活発な言説空間が、思弁的実在論という(ある意味では仮構された)ひとつの潮流を、いまなお活気づけている[1]。

思弁的実在論の中心的なイシューについてはすでに日本語でも紹介が進みつつあるが[2]、そのなかで比較的に見過ごされているひとつの問題がある。それが、前述のグレアム・ハーマンがかねてより喧伝している「第一哲学としての美学(Aesthetics as First Philosophy)」というテーゼである。このテーゼは、確認しうるかぎり、ハーマンの論文「第一哲学としての美学――レヴィナスと人間ならざるもの」(二〇〇七)においてはじめて明白なしかたで主張され、その後の著書や論文にも類似する表現が散見される[3]。

本章がめざすのは、ハーマンによる「第一哲学としての美学」というテーゼの内実を明らかにし、その理論的な可能性を見極めることにある。そこでさしあたり確認しておくべきは、この「第一哲学としての美学」が、日本語で言う「美学」よりもむしろ「感性学」とよぶべき次元に——原語は同じ「Aesthetics」であるのだが——関わっているということである。とはいえ、むろんそのように言っただけでは、この立場が従来の——「美」についてでも「芸術」についてでもない——「感性」についての学としての美学といかなる意味で異なっているのかはかならずしも詳らかにならない。そこで本章の前半では、ハーマンの「第一哲学としての美学」に見られる基本的な前提を確認しつつ、それと従来の「美学」との隔たりを明らかにしたい。また、その次になされるべき作業として、ハーマンの「オブジェクト指向哲学」や、それに関わる複数の概念連関を踏まえつつ、このテーゼの実質的な内容を明らかにすることが求められるだろう。とりわけ、そこで重要な役割を担うのは、『ゲリラ形而上学』(二〇〇五)において多用される「魅惑」や「暗示」といった諸概念である。本章の中盤では、これらの概念が示す内容を踏まえつつ、ハーマンにおける美学の地位そのものを見極めることにしたい。

また重要なことに、いずれも二〇〇七年に公にされた「第一哲学としての美学」と「代替因果について」は、カンタン・メイヤスーの「相関主義」批判にハーマンが共感的な立場を表明した最初期の論文でもある[4]。すなわち、「第一哲学としての美学」は、ハーマン——および思弁的実在論——にとって決してマージナルな問題ではなく、むしろその核心に位置する問題のひとつであると考えられる。そこで本章の後半では、「第一哲学としての美学」から見た「相関主義」批判の賭金についても触れることにしたい。

感性学としての美学

まずは重要なポイントから確認していくことにしよう。ごく単純に言って、ハーマンによる「第一哲学としての美学」とは、人間を含めたあらゆるオブジェクトにまたがる美学の構想である。言いかえれば、それは「主体(subject)」が眼前の「対象(object)」を感性的に把握する、といった人間中心主義的な——かつ主客対立を担保とした——美学からはきっぱりと手を切るものである。したがって端的に、ここで想定されている美学の主体こそ「オブジェクト」そのものなのだと言ってみてもよい(のちの議論からおのずと明らかになるいくつかの理由により、ここから先では「object」に対して——「対象」ではなく——原則的に「オブジェクト」という訳語を充てることにする)。

この言いかたは、おそらく逆説的に響くだろう。なぜなら一般的に「オブジェクト」とは、それが人間であるか否か、あるいは生物であるか否かを問わず、それを感知する主体によって多かれ少なかれ「対象化された(objectified)」ものを意味するからだ。だがハーマンは、(相対的に)複雑な感性的認識をそなえた人間を特権的な位置に据えるのではなく、なんらかの意味で「オブジェクト」とみなしうるすべての存在者が――「対象」ではなく――その「主体」となりうるような、そのような美学を構想している。

かりに以上のような発想がわれわれになんらかの困惑をもたらすとすれば、その原因はおそらく次のような前提に見いだされるだろう。すなわち、ごく一般的に言って、美学とは美・芸術・感性などを対象とする哲学の一部門だという前提である。そこでは大きく分けても「美」「芸術」「感性」という異なる三つのタイプの対象――たとえばこれらをそれぞれ「観念的対象」「個別的対象」「知覚的対象」と言いかえてみてもよい――が扱われることになるが、とりわけその三番目の対象である「感性」に着目するとき、それはある意味で人間の認識のもっとも基本的な部分を担うものとなる。

そして、以上のような「感性」をめぐる問いこそが、現代の美学における主要なパラダイムをなしていることは、あらためて確認するまでもない。「美」や「芸術」をめぐる本質主義的な議論がすでに影響力を失って久しい今日において、美学をめぐるさまざまな関心は、むしろわれわれの感性的認識をめぐる経験的な考察へと移行している(ゆえにそれは、しばしば認知科学などとも交差する)。べつの言いかたをすれば、それまで相対的に影を潜めてきた「感性」学としての美学が前景にせり上がったことにより、従来もっぱら「美」や「芸術」に照準を合わせてきたロマン主義的な美学は、多かれ少なかれ後景へと退くことになったのである。そのようなパラダイム・シフトは、基本的には美学という一分野の問題にすぎなかったとはいえ、それでも過去数十年のあいだに一定の浸透をみせたように思われる。すくなくとも、今日の学術的なコンテクストにおいて、「エステティクス」という言葉を――「美」や「芸術」ではなく――「感性」をめぐる学問として理解することに強い異議が唱えられることはほとんどないはずだ[5]。そして、まさしくそのような現状こそが、美学において「感性」そのものを主題にすることがすでに一般的なものになったという事実を明瞭に伝えている（なお、以下では慣例通り「美学」という日本語を用いるが、そこには以上のような前提があらかじめ畳み込まれていることをお断りする）。

しかし注意しなければならない。「美」や「芸術」ではなく「感性」に着目せんとする試みの多くは、そこで暗黙のうちに前提とされる次のような見かたを手放すことはないだろう。すなわち、もしも美学がわれわれの感性的認識に関わる学問であるのだとしたら、そのような認識とは、言うまでもなく人間にとってのそれである。あるいは、そのような感性的認識をそなえた主体を——痛覚をはじめとする——諸「感覚」をそなえた存在へと拡張してみたとしても、せいぜいそこには一部の動物が含まれるにとどまる。いずれにせよ、美学にとって、植物や鉱物は人間によって感性的に把握されるべき目的語ではあるにしても、反対にその主語になりうるものでは決してない。言いかえれば、そこにはたんなるオブジェクトのための美学が用意されていないのだ。それに対してハーマンは、感性的認識を行なうエージェントとしての「主体」と、それによって把握されるものとしての「客体」のあいだに明確な線を引くことなく、すべての「オブジェクト」が同一の平面上で関係しあうような、存在論の基盤としての美学を構想するのである。

いささか議論が先走ったが、以上でごく簡単に提示した見取り図をもとに、ハーマンのテクストへと目を転じてみよう。前節で見たような美学の構想は、それ単体では面食らわせるところがないではないが、その「オブジェクト指向（object-oriented）」の哲学に多少なりとも通じた者ならば、ハーマンがそのような議論を立てる動機はおのずと理解されるだろう。二〇〇五年の『ゲリラ形而上学』の冒頭において、ハーマンは分析哲学と大陸哲学、さらにはそれらを架橋せんとする試みの多くが、オブジェクトそのものではなく、もっぱら人間によるオブジェクトへの「アクセス（access）」に関心を寄せてきたことを批判している［6］。

本書は、オブジェクト指向哲学とでもよびうるものの必要性を訴え、それによって分析的伝統と大陸的伝統の双方をしりぞけるものである。これらの伝統のあいだでなされているもっかの論争は、それらを「架橋しよう」とするものも含めて［……］両者が共有するひとつの先入見に目を瞑っている——すなわち両者の第一の関心が、オブジェクトにあるのではなく、それらに対する人間のアクセスにあるということに。（GM 1）

これを書いているハーマン本人は、この二つの伝統のうち、明らかに後者——ハイデガー、メルロ＝ポンティ、レヴィナス——に与している。だがここでハーマンは、ある重要な理由から、その双方に対して批判的な先の立場へと至っている。すなわち、表むきは対立しているかに見える分析哲学と大陸哲学は、実のところオブジェクトそのものではなく、それらに対する人間の「アクセス」にのみ関心をむけてきたという意味において共通している、というのだ。これらの哲学は、実在そのものとは無関係な超越論的な領域にとどまりつづけ、具体的な事物をそこから締め出すことで、「実在をめぐる理論」から「人間による実在へのアクセスをめぐる理論」へと後退していってしまった（GM 18）。つまり、ここでハーマンは、それまでの哲学が締め出してきた実在そのものを問題としうるような存在論が必要だと主張している。それが、先にも見た「オブジェクト指向哲学」——あるいは「オブジェクト指向存在論」——である〔7〕。

この問題を考えるにあたり、先の引用でハーマンが「アクセス」という言葉を用いているのは示唆的である。ハーマンのオブジェクト指向存在論において、この世界における人間の感性的経験は次のように記述される。すなわちそこでは、人間主体がそれ以外のものを客体として「知覚」しているのではなく、あくまでも「人間というオブジェクト」が「それ以外のオブジェクト」に部分的にアクセスしているにすぎない。たとえば、われわれが室内の観葉植物を眺めたり、ラジオから流れてくる音楽に耳を傾けたりするという経験は、通常そう考えられるような主客関係によって記述されるべきものではなく、むしろ、それらを享受する「わたし」というオブジェクトと、「植物」や「音楽」というオブジェクトが相互に触れ合っていると言うべきなのだ。

ハーマンが――とりわけレヴィナスを批判しつつ――試みるのは、「人間」と「事物」のあいだに存在論的な差異を設けるのではなく、両者にひとまず同じ「オブジェクト」という身分を与えてみることである。ある「音楽」とそれを享受する「人間」の関係は、「森」とそれを燃やす「炎」、「腐ったパイナップル」とそれを貪る「鳥」の関係と、存在論的にはいささかの違いもない。たとえばレヴィナスにおいて、無限の他者はあくまでも人間どうしの関係のなかに見いだされるにとどまるが、ハーマンはこれを、なんであれすべてのオブジェクトの関係一般に適用することを求めるのである（GM 13）。

ハーマンによれば、そのようなもろもろのオブジェクトは、いかなる意味においても「直接的に」相互作用することはない（GM 2）。それぞれのオブジェクトは、直接的にではなく、あくまでもその表面において相互に働きかけるにとどまるからである。実在する個々のオブジェクトは、この宇宙の因果関係とはいっさい直接的な関係を保つことなく、それじたいのうちに引きこもっている。しかし、だとすれば、その直接的ならざる――とはいえ「間接的」というわけでもない――相互作用はどこで生じるのか。また、そのように定義されたオブジェクトの内部状態はどのように記述されるのか。次の一節によれば、異なるオブジェクトの関係はその「内部」で生じるのであり、それを可能にするのは、相互に隔絶したオブジェクトの内部で渦巻く「感覚的エレメント」である。

われわれはもろもろのオブジェクトを、いかなる関係からも引きこもったものとして定義してきた。だがそうだとしたら、いったい相互作用はどこで起こるのかと問う必要があるだろう。もしもオブジェクトがたんなる窓のないモナドだとしたら、プライヴェートな無限の世界は存在するにしても、オブジェクトどうしが呪文や打撃によってぶつかり合う共通のアリーナは存在しないことになるだろう。この問題に対する解決策は、この世界の諸関係が、他のどこでもなく、つねにオブジェクトの内部で繰り広げられる、というものである。あらゆるオブジェクトは、他のものから隔てられた真空パックの孤立の中で存在しているのだが、それぞれのオブジェクトの内部は決して空虚なものではない――すなわち、その内部で起こっているのは、渦状の感覚的なエレメントのカーニヴァルなのである。（GM 231）

ここに見られるようなオブジェクトの定義を覚えておこう。各々のオブジェクトは、この世界のいかなる関係からも隔絶した無限の「何か」である。オブジェクトは、ここで「真空」とよばれる絶対的な孤立の中で存在しているのだが、しかしそれらはたんなる「窓のないモナド」ではない。むしろその内側には「渦状の感覚的なエレメント」が満ち満ちており、この世界の諸関係は、つねにそうしたオブジェクトの内側で繰り広げられる。ここには、オブジェクトの内／外をめぐるいささか込み入った議論が見られるが、いずれにせよ、それらのオブジェクトが直接的に触れ合うことなく、たがいに隔絶したままで——しかしその内部において——相互作用する、というのがここでのもっとも重要な主張である。以上のことを念頭に置きつつ、「第一哲学としての美学」をめぐるより具体的な内容へと踏み込んでいくことにしよう。

暗示、魅惑、汎魅惑的

繰り返すように、ハーマンにとって、美学とは存在論の基礎をなすものである。ゆえに、ここで美学とよばれているものを——通常そう考えられているような——哲学の一部門として理解するのは適切ではない。ハーマンがその独特な言い回しによって述べるように、美学はこれまで長らく「哲学における即興的な踊り子の役目を務めてきた」が、今後それは「存在論において、相応に重要な役割を果たすだろう」（OVC 216 : 111）。

しかしこのような表現によって、実のところハーマンは何を言おうとしているのだろうか。まず、ここで「存在論（ontology）」とよばれているものの内実をあらためて確認しておきたい。ハーマンによれば、存在論とは、すべてのオブジェクトが共有する基本的な特徴を記述するものであり、それは特殊なタイプの存在者がもつ特徴を記述する「形而上学（metaphysics）」からは区別される（OVC 204 : 104）［8］。それをふまえて言うなら、ハーマンのオブジェクト指向存在論は、「神」や「人間」や「芸術作品」のような特殊なタイプの存在者のみならず、あらゆるオブジェクトに共通する構造的な特徴を探り当てようとするものなのである。そして、ハーマンによる以上のような議論の前提をなしているのは、「神」であれ「人間」であれ「芸術作品」であれ、広義のオブジェクトであるかぎりにおいて、それらは「蝶」や「砂浜」や「出張書類」と存在論的にはいささかの違いもない、というオブジェクト一元論的な世界観である。

ここで「第一哲学としての美学」に目を転じてみよう。同論文において、ハーマンはレヴィナスにとっての「第一哲学」である倫理学を批判する。周知のように、レヴィナスにおける――あるいは一般的な意味における――倫理学は、原則的に人間存在にのみ開かれたものである。よって、そこでは「サル」や「イヌ」、さらには「岩」や「木」のための倫理学といったものはいっさい想定されていない。これに対し、ハーマンにとっての第一哲学は、そのような「偏狭な人間の王国」(AFP 28)にはとどまらない何かなのであり、それこそが――相対的により適切な名前として――美学とよばれるのである。少々長くなるが、重要な一節を引用しよう。

> 倫理学は第一哲学にはなりえない。なぜなら、倫理学は不当にも、デカルトが行なったのとほとんど同じような方法で、その資格を完璧に満たした人間と、機械人形のごとき因果性の尖兵とのあいだで世界を分割してしまうからだ。第一哲学は、個々の実体と、それら相互の真率なる近さ

をめぐる、より一般的な理論を必要とする。なぜなら、コミュニケーションが生じるのは、ただ近さにおいてのみだからである。このことは、無機物も含めたあらゆる形式のコミュニケーションについて妥当するはずだ。機械の歯車は、人間が軍隊と完全に融け合ってしまうことがないのと同じように、たがいに完全に融け合ってしまうことはない。ある歯車からべつの歯車への働きかけが起こるとしたら、それは真率さ〔sincerity〕ないし近さ〔proximity〕を通じてのみ起こりうる。レヴィナスは実体の分裂を人間に固有の現象であるとみなしたが、これは全体としての実在について言える一般的特徴である。かくして第一哲学は、倫理学のうちにではなく、実体と因果をめぐる一般理論のうちにこそ見いだされねばならない。ここでわたしが主張したいのは、「倫理学」よりも「美学」のほうが、そのような領域の名前にふさわしいということである。（AFP 28）

すぐれて明快な主張である。レヴィナスは倫理学を第一哲学であると見なしたが、その帰結として、人間とそれ以外の存在者のあいだに越えがたい分割線を設けてしまった。しかし、第一哲学が「実体と因果をめぐる一般理論」のことを意味するのだとすれば、そのような倫理学は第一哲学にはなりえない。むしろハーマンによれば、その名に値するのは美学なのである。

ここで「美学」とよばれているものの内実をより正確に理解するために、さしあたり次のことを確認しておこう。前節でも見たように、かりに実在的なオブジェクトどうしが直接的に触れ合うことがないのだとしたら、オブジェクトはいったいどのように出会い、作用しあうのだろうか。先の引用では「近さ」や「真率さ」といった言葉が用いられていたが〔9〕、個々のオブジェクトのあいだに出会いがあるとしたら、それは実在の深みにおいてではなく、その表面において、すなわち実在の表層たる「感覚的オブジェクト」において実現される。

われわれが出会うのは寸断された世界である。樹木、郵便受け、飛行機、骸骨はわれわれの前に広がっており、それぞれに特有の雰囲気をまといながら、それに付随するさまざまな性質とともにきらめいている。われわれはもっぱら現象の領域について語っているのだから、それらの事物が幻覚かどうかは問題ではない。妄想でさえ、われわれの知覚を個別的な領域へと組織するうえでは目覚ましいはたらきをしてくれるのだ。

(OVC 194 : 100)

ここでは「雰囲気(mood)」や「付随する性質(subordinate quality)」といった表現が用いられているが、『ゲリラ形而上学』において、ハーマンがもっとも好む用語は「気配(note)」である。テクストによって用語に多少のずれはあるにせよ、ひとまずここでは、これらの──「気配」や「雰囲気」といった言葉に象徴されるような──付随的な性質をそなえたものを「感覚的オブジェクト」として理解しておこう。すなわちそれらは、「実在的オブジェクト」の感覚的な対応物なのであり、オブジェクト間の出会いは、まさしくこの感覚的オブジェクトの次元で生じる。そのことをふまえたうえで、続くシマウマの例を見てみよう。

> すでに指摘したように、感覚的オブジェクトと実在的オブジェクトは異なる運命にある。実在するシマウマや灯台が直接的なアクセスから引きこもってしまったとしても、それらの感覚的な対応物はすこしも引きこもることはない。というのも、そこでシマウマはわたしの前にいるからだ。たしかに、わたしはシマウマを無限に多様な角度と距離から、悲しみや喜びをもって、夕暮れや横なぐりの雨の中で見ることができる。そしてどの瞬間も、シマウマの可能な知覚すべてを汲み尽くすことはない。それでもシマウマは、わたしにとってすでにそこに存在しており、その部分的なプロフィールにおいて全体としてある。わたしは、まさしくそれらを通じて見ているのであり、シマウマを統一的なオブジェクトとして見ているのだ。
>
> （OVC 194 : 100）

ごく単純に整理するならば、ここで想定されている事態は次のようなものである。あらゆるオブジェクトには実在的な側面と感覚的な側面が存在するが、オブジェクト間の相互作用はつねに後者の次元で生じる。前者の実在的オブジェクトは孤独な「真空の」領域に引きこもっており、そのかぎりにおいて、**この世界のいかなる因果からも切り離されている**。にもかかわらず、異なるオブジェクトが相互に作用しあえるのは、個々のオブジェクトが感覚的なものとして、すなわち「気配」や「雰囲気」とよばれる無数の付随的性質をともないつつ存在しているからだ（オブジェクトが「窓のないモナド」ではない、というのはそのような意味においてである）。ひとつ強調しておかねばならないのは、ここでは「実在」と「現象」が別物として扱われているわけではないということである。ここでは実在的な側面も、感覚的な側面も、同じひとつのオブジェクトに帰属している。ゆえに、これらはそれぞれ「実在」と「現象」として、相互に切り離されているわけではない。実在も感覚も、ひとしくオブジェクトであることには変わりがないが、前者がこの宇宙のいかなる因果性からも切り離された存在として規定されている以上、「もろもろのオブジェクトは、ただプロキシを通して、すなわち感覚的プロフィールを通してのみ出会う」（OVC 200 : 103）という奇妙な理路——「奇妙な実在論」——を整備するほかない〔10〕。ハーマンが「代替的な（vicarious）」因果とよぶのは、そのようなオブジェクトどうしの関係を説明するために導入された、奇妙な因果性のことである。

ここで、ようやく議論を次のステップに移すことができる。ハーマンは、ここまで述べてきたような感覚的次元で生じるオブジェクトの相互作用を「魅惑（allure）」ないし「暗示（allusion）」という言葉によって名指している。『ゲリラ形而上学』におけるもっとも簡潔な定義によれば、「魅惑」とは「あるオブジェクトをその諸性質から切り離す」（GM 143）ものであり、そこでは「事物の一体性とその特色の複数性とのあいだの親密な結束が、部分的ではあるにせよ崩壊する」（GM 153）。

これらの定義をふまえるならば、「魅惑」とは、「統一されたオブジェクト」をその「性質」や「特徴」から切り離すものだ、とひとまずは言うことができるだろう。この両者の関係をハーマンはきわめて微妙な言い回しによって記述しているが、それによれば、オブジェクトはみずからの性質や特徴と不可分でありながら、同時に「魅惑」によって、後者はオブジェクトそのものから決然と切り離される。

> わたしは魅惑の概念をあるメカニズムとして定義したが、それによってもろもろのオブジェクトはみずからの特徴から切り離される［objects are split apart from their traits］。後者の特徴は、オブジェクトと不可分なままであるにもかかわらず、である［even as these traits remain inseparable from their objects］。そして何より、この世界の原子を遊離させ、その分子を表示せしめるのは、美的経験であるように思われるのである。（GM 173）

ハーマンの議論に留保をつけるべきところがあるとすれば、それはここでの「美的経験」という言葉に示されているような、人間主義的なトーンがかすかに残っていることである。すなわち、ハーマンは一貫して人間からその特権的な地位を剥奪するような存在論を構想していながら、その具体的な記述は、そこにやはり一定の人間中心主義が残っていることを匂わせる。それは「魅惑」や「暗示」といった語彙についても同様である。つまりこれらの術語は、ともすると「魅惑」や「暗示」を行なう主体的なエージェントが存在することを喚起してしまいかねない。むろんハーマンは、そのような懸念を払拭すべく、しばしばそのような見かたをはっきりとしりぞけている。ハーマンによれば、以上のような議論において想定されているのは、「魅惑」や「暗示」が人間にのみ許されているということでもなければ、その反対に「石が何かを思考したり、感受したりする」ということでもない（GM 244）。たとえこの宇宙が粉塵というオブジェクトによって満たされていたとしても、「魅惑」は変わらずそこに存在しつづけるだろう。「魅惑」は、その言葉に含まれる人間的なニュアンスとは裏腹に、あらゆるオブジェクトのあいだに生じる関係の基本単位を示しているのである〔11〕。

それがいくぶん不適切な表現であるという前置きをしつつ、ハーマンはここまで見てきたような存在論を――「汎心論的（panpsychist）」に引っかけつつ――「汎魅惑的（panallurist）」と形容する〔12〕。なぜなら以上のような議論は、そこで想定されているのが人間であるか否かにかかわらず、あらゆるオブジェクトに「魅惑」が胚胎されていることを想定しているからだ。繰り返しになるが、ハーマンの美学の根底には、その語が喚起する人間的なニュアンスを越えて、あらゆる実在のなかに「魅惑」が生じているという発想がある。

馬鹿馬鹿しく、言語学的には不適切な造語を用いるなら、オブジェクト指向哲学は汎神論的ではなく、ただ汎魅惑的なのである。ここまで論じてきたように、魅惑は無生物の領域も含め、あらゆる実在のなかに萌芽として存在している。このことは、石が思考や感覚をもつという意味ではいささかもない。それはクワの茂みが翼を胚胎しているとか、砂粒が農場の管理や石器の作りかた

をひそかに知っているということを含意するわけではないのと同じである。（GM 244）

炎が森を包み込む、浜辺に波が押し寄せる、青と緑のビリヤードボールがぶつかり合う、画像データの束が手元のデバイスにダウンロードされる――これらはいずれも異なるオブジェクトのあいだに生じる出来事であり、そのかぎりにおいて、そこには「暗示」や「魅惑」がつねに生じている。ある意味で、これは汎媒介論的な存在論であると言えるかもしれない。こうした議論の鍵となっているのは、ハーマンが実在的オブジェクトと感覚的オブジェクトの領域を分け、オブジェクトどうしの関係を「代替因果」の関係として提示していることだろう。そのような理路においてこそ、実在するオブジェクトは絶対的な「孤立」のうちにありながら、感覚的な次元において「関係」しあうという論理が成り立つのだ。「代替因果について」の結論に即しつつ、まとめよう。

精神なき土塊も含めて、すべての実在的なオブジェクトの関係が生じるのは、ただある種の暗示によってのみである。このことは、われわれが魅惑を美的効果と同一視するかぎりで、美学こそが第一哲学にほかならないことを意味している。（OVC 221 : 113）

いまやわれわれは、このテーゼの意味を十全に理解することができるだろう。オブジェクトのあいだになんらかの関係が生じるとしたら、それは実在的な次元ではなく、感覚的な次元においてである。この、実在的なものどうしの関係が感覚的な次元において生じるという事態こそ、ハーマンが「代替因果」とよぶものにほかならない。そして、この代替関係を生じさせる「魅惑」を——「現象的」に近い意味で——「美的」効果とよぶことができるとすれば、それをつかさどる美学こそが、その存在論の根底をなす「第一哲学」であるということになる[13]。

相関主義批判とオブジェクトの宇宙

最後に、ふたたび「第一哲学としての美学」に戻ることにしよう。先にも見たように、そこでハーマンはレヴィナスを批判しつつ——しかし基本的にはレヴィナスに依拠しながら——みずからが「美学」とよぶものを次のように定義する。ここでも、レヴィナスを梃子として提示されるハーマンの立場は明快である。

レヴィナスがわれわれに教えるように、形而上学における真の問題とは、存在がいかにしてシステムの中で相互作用するのか、ということではない。そうではなく、問題は、それらの存在が近さによってなんらかのコミュニケーションを取りつつも、いかにしてそのシステムから独立した実在として引きこもることができるのか、ということなのだ。この近さとは、接触なき接触であり、われわれはここまでそれを暗示や魅惑とよんできた。かりにこの出来事を、言葉のもっとも広い意味での「美学」と同じものと見なすなら、なぜ第一哲学が美学であり、倫理学でないのかが明らかとなるだろう。他の人間たちに対する倫理的関係は、触れることなくコミュニケーションしあう実体のなかでも特殊な事例にすぎない。美学は第一哲学である。なぜなら、個々の実体が互いの近さにおいていかに相互作用するかという問題こそ、形而上学の主要問題であることが明らかになったからだ。だが、美学は一般的に、ただ人間にのみ帰属するものだと見なされているか、せいぜい美しく鳴くトリや、悲しげに背中を丸めたクジラのような、特別に優遇された動物たちにのみ帰属するものだと見なされている。（AFP 30）

ここに至って、ハーマンの仮想敵はいっそう明白なものになっている。人間どうしのコミュニケーションを特権的な地位に置かざるをえない倫理学に対して、各々のオブジェクトが絶対的に引きこもりながら、それでも異なるオブジェクトのあいだにコミュニケーションが成立することをみとめるには、実在と感覚との代替的な関係を想定するほかない。そうだとすると、感覚的オブジェクトが実在的オブジェクトを「暗示」するようなメカニズム、すなわちハーマンが「魅惑」とよぶメカニズムがそこに実装される必要がある。ハーマンが美学に対して与える「第一哲学」とは、まさにこのような次元にこそ見いだされる。

そして、まさに以上のような議論を展開するなかで、ハーマンはその前年に刊行されたばかりのメイヤスーの『有限性の後で』(二〇〇六)に言及するのだ。知られるように、同書においてメイヤスーはカント以来の超越論哲学を「相関主義(correlationism)」という言葉によって一括しつつ、人間と世界の関係を原初的なものと捉えるいっさいの哲学的伝統を批判する。ここではメイヤスーの議論を詳しく紹介する余裕はないが、重要なのは、ハーマンが「暗示」や「魅惑」にもとづく「第一哲学としての美学」を構想するにあたって、以上のようなメイヤスーの「相関主義」批判に言及していることである。言ってみれば、ここまで見てきたようなハーマンの議論は、人間——およびその思考——からこの世界の実在を切り離す方向へとむかっているという点で、メイヤスーの議論と深く共振している。ただし、両者のあいだに違いがあるとすれば、人間の誕生以前/以後の世界を想定する通時的な議論を展開するメイヤスーに対して、オブジェクト一元論によって人間を脱中心化するハーマンの議論はむしろ共時的である[14]。その哲学的な基盤をなすのが、ここまで見てきたようなオブジェクト指向存在論であり、さらにそこで「第一哲学」としての役割を担うものこそ、ここまで繰り返し確認してきたような意味での「美学」なのである。

他人が、たとえそこに十全に現前していなくともわたしに何か合図をするのは確かだが、リンゴや紙やすりのような、感受性をもたない存在の深みを、わたしが決して汲み尽くしえないこともまた確かなのである。だが、それは人間の有限性にのみ当てはまる特別なパトスではない。むしろ反対に、わたしは事物をその深みにおいて捉えることはない。なぜならコミュニケーションとは深さの問題ではないからである。コミュニケーションは、存在しない扉や窓を通して生じるのではなく、ただ近さからのみ生じる。〔……〕これが起こるための唯一の方法とは、あるオブジェクトが他の実在を暗示することである。魅惑はただの芸術理論ではなく、因果関係一般についての理論なのである。

（AFP 30）

繰り返すように、ハーマンにおいて「暗示」や「魅惑」とは、完全にばらばらに存在している個々のオブジェクトが、それでもなんらかのしかたで関係しあうという事態を説明するための概念にほかならない。ただし、その議論がむかうのは、生気論とはまったく反対の道筋である。ハーマンの汎魅惑的な宇宙においては、雨粒や砂嵐がつねにコミュニケートしあっているが、そのことを説明するために、人間――の超越論的な主観性――はかならずしも必要ではない。「この宇宙は美的ないし隠喩的な構造をもっている」（GM 174）という、ともすれば生気論的に受け取られかねない言明は、実際にはその反対の内容を含んでいる。なぜなら「美的」ないし「隠喩的」な関係は、あくまでもオブジェクトどうしのあいだに生じるものであり、そこには観測者としての人間が占めるべき位置は存在しないからだ（そこに人間が占めるべき位置があるとすれば、むろんそれは「オブジェクト」としての位置にほかならない）。

しかし、われわれは以上のような議論を、なお留保なしに「美学」とよぶことができるだろうか。かりに人間にとってではない、オブジェクトにとっての美学を「第一哲学」として考えようとするのであれば、そこでは必然的に「美学」という概念そのものの内実に手を加える必要が生じてくる（げんにハーマンが行なっているのはそのようなことである）。だがこの点において、ハーマンの議論はいささか断片的であり、そのポテンシャルを汲み取るには、ここで試みに行なったような再構築の作業が必要不可欠である。ハーマンをはじめとする思弁的実在論の「美学」をめぐる考察は端緒についたばかりだが[15]、そのいささか常軌を逸した議論のポテンシャルを見極めるには、まさしくかれらが標的として定めるカント以後の哲学的な枠組みのなかで、今後その意義をさらに追求していく必要があるだろう。

1 ここでの目的は思弁的実在論の一般的な紹介ではないため、以上に挙げた著者たちの詳しい書誌情報は省略する。知られるように、思弁的実在論とよばれる潮流は、二〇〇七年にロンドン大学ゴールドスミス・カレッジで開催された同名のワークショップ(組織者はアラン・バディウの英訳者として知られるアルベルト・トスカーノ)と、二〇一一年に刊行された論集『思弁的転回』(Levi Bryant, Graham Harman, and Nick Srnicek (eds.), *The Speculative Turn: Continental Materialism and Realism*, Melbourne: Re.Press, 2011)をそのおもな発端とする。その中心人物と目されるのは、メイヤスー、ハーマン、ブラシエ、グラントの四名だが、かれら全員がその名称に賛意を示し、その動向にコミットしているわけではない。むしろその後さまざまな人々を巻き込みつつ、なおかつ特定の地域を超えて拡大を続ける思弁的実在論は、すでに当初のワークショップの中心にいた人々の手を離れ、英語圏において大きな存在感を示しつつある。よって、二〇一二年末の段階でハーマンも述べているように、思弁的実在論なるものが「本当に存在するのかどうか」という議論は、今日では「ほとんど意味がない」ものとなっている(Graham Harman, "The Current State of Speculative Realism," *Speculations*, vol. 4, 2013, p. 22)。なお、思弁的実在論にかんして、日本語で読みうる文献については次註を参照のこと。

2 代表的なものとして次を参照のこと。千葉雅也「アウト・イン・ザ・ワイルズ」『現代思想』、二〇一二―一三年(連載)、『動きすぎてはいけない――ジル・ドゥルーズと生成変化の哲学』河出書房新社、二〇一三年、第二章「関係の外在性」、八五―一二六頁。メイヤスーの翻訳としては、クァンタン・メイヤスー「減算と縮約――ドゥルーズ、内在、『物質と記憶』」(岡嶋隆佑訳、『現代思想』二〇一三年一月号)、「潜勢力と潜在性」(黒木萬代訳、『現代思想』二〇一四年一月号)を参照のこと。なお、メイヤスーの哲学に対する重要な批判的応答として、マーティン・ヘグルンド「時間の原物質性――脱構築、進化、思弁的唯物論」(星野太訳、『思想』二〇一四年一二月号)を参照のこと。

3　Graham Harman, "Aesthetics as First Philosophy: Levinas and the Non-Human," *Naked Punch*, vol. 9, 2007, pp. 21-30. 以下AFPと略記し、略号とページ番号のみを挙げる。

4　Graham Harman, "On Vicarious Causation," *Collapse*, vol. 2, 2007, pp. 187-221. 以下OVCと略記し、略号と原文：邦訳（「代替因果について」岡本源太訳、『現代思想』二〇一四年一月号、九六―一一五頁）のページ番号を挙げる（邦訳には適宜変更を加えている）。

5　むろん、その語源に鑑みれば、「美学」がそもそも「感性」――ギリシア語の「アイステーシス」――という言葉に由来していることは言うまでもない。ただし、そのような人間の感性的認識をめぐる問題は、どちらかといえば長らく「美」や「芸術」の余白におかれていたというのが実情だろう。それに対する近年の「感性学としての美学」ということでまっさきに想起されるのは、ジャック・ランシエールの議論である。『感性的なもののパルタージュ』（二〇〇〇）以来、ランシエールは「美学（esthétique）」という言葉に、所与の感性的データを規定する「アプリオリな形式の体系」という意味を担わせてきた。この意味で、ランシエールにおける「美学」が、むしろ「感性学」という響きを強く帯びていることは明らかである。たとえば次の一節を参照のこと。「政治の根底にはひとつの「美学＝感性学」があるが、それはベンヤミンが語っているような、「大衆の時代」に固有の「政治の美学化」とはなんの関係もない。〔……〕類比にこだわるなら、そのような美学＝感性学をカント的な意味で、あるいはフーコーによって再解釈されたような意味で、感じとるべく与えられたものを規定するアプリオリな諸形式の体系として理解することができる。それは時間と空間、可視的なものと不可視的なもの、言葉と騒音の切り分けであり、それが経験の形式としての政治の場と課題を同時に定めているのである」（Jacques Rancière, *Le partage du sensible*, Paris: La fabrique, 2000, pp. 13-14.『感性的なもののパルタージュ』梶田裕訳、法政大学出版局、二〇〇九年、七―八頁）。

6　Graham Harman, *Guerrilla Metaphysics: Phenomenology and the Carpentry of Things*, Chicago: Open Court, 2005. 以下GMと略記し、略号とページ番号のみを挙げる。

7　すくなくとも『ゲリラ形而上学』までのハーマンの著書においては、「オブジェクト指向存在論」ではなく、もっぱら「オブジェクト指向哲学」という言葉が用いられていた。ハーマンの回想によれば、「オブジェクト指向存在論（OOO）」という呼称は、リーヴァイ・ブライアントが二〇〇九年の段階ではじめて用いたものであるという（Graham Harman, "The Current State of Speculative Realism," *op. cit.*, p. 26）。だが、近年ではハーマン本人もこの言葉を用いることが多く（Graham Harman, *Bells and Whistles: More Speculative Realism*, Winchester: Zero Books, 2013）、また、その議論が「存在論」として立てられていることは明らかであるため、ここから先では原則的に「オブジェクト指向存在論」という呼称を用いることにする。ブライアントによるオブジェクト指向存在論の要諦については次を参照のこと。Levi Bryant, "The Ontic Principle: Outline of an Object-Oriented Ontology," in *The Speculative Turn: Continental Materialism and Realism*, *op. cit.*, pp. 261-278.

8　とはいえ、ハーマンは「存在論」と「形而上学」という言葉が、（場合によって）互換可能なものとして用いられる可能性を排除していない（OVC 204：104）。

9　ここで登場する「真率さ（sincerity）」という概念については、実のところ「第一哲学としての美学」に詳しい説明はない。この「真率さ」や後出の「代替因果」というキータームについては、同年の「代替因果について」のなかで詳しく論じられている。

10　この言葉はH・P・ラヴクラフトを論じたハーマンの著書の表題でもある。Graham Harman, *Weird Realism: Lovecraft and Philosophy*, Winchester: Zero Books, 2012.

11　ここで指摘したことは、とりわけ『ゲリラ形而上学』に顕著である。ハーマンは、人間の美的経験を殊更に取り上げる理由を次のように正当化しているものの、それが十分に説得的であるとは言いがたい──「われわれは美的経験という特殊な事例から出発し、全体としての知覚に移ってから、最終的に因果性一般の領域に入り込む、という遡行的な仕事を行なうこともできるだろう。ここまで提示してきたような魅惑の例は、人間の知覚と適合するものばかりであった。〔……〕われわれの目的は、感受性の領域を超えて、ばらばらなオブジェクトの因果的な結びつきへと議論を押し広げることであるが、魅惑という人間的経験についていまいちど考えてみるのも、出発点としては悪くはないだろう」(GM 174)。

12 これは言うまでもなく「魅惑(allure)」をもとにしたハーマンの造語である。「汎魅惑的(panallurist)」という訳語はもちろん試訳の域を出るものではないが、ハーマン自身も認めているような言葉のぎこちなさを再現すべく、試みにこのような訳語を用いることにする。

13 ここでは十分に展開できないが、ハーマンは『ゲリラ形而上学』において、「魅惑」と「知覚」の区別について論じている(GM 182-190)。

14 千葉雅也は、メイヤスーの「すべては崩壊しうる」という主張が一種の「通時的な無関係」論であるのに対し、ハーマンによるオブジェクト指向哲学は一種の「共時的な無関係」論であると整理している。次を参照のこと。千葉雅也「アウト・イン・ザ・ワイルズ　第八回　アイソレーション(下)」『現代思想』二〇一三年二月号、一八頁。

15 思弁的実在論における「美学」を論じたものとしては、雑誌『スペキュレーションズ』第五号(二〇一四年)の特集、とりわけ編者たちによる序文を参照のこと。Ridvan Askin, Andreas Hägler, and Philipp Schweighauser, "Introduction: Aesthetics after the Speculative Turn," *Speculations*, vol. 5 (2014), pp. 6-38.

初出一覧

序論　「書評　ジャック・ランシエール『美学における居心地の悪さ』」『Site Zero Review』二〇〇六年一一月一三日（http://site-zero.net/_review/galilee2004/：現在は閉鎖済）。

1　「疚しさについて――カタストロフと崇高」、森美術館（編）『カタストロフと美術のちから』平凡社、二〇一八年、二二九―二三〇頁。

2　「戦後アメリカ美術と「崇高」――ロバート・ローゼンブラムの戦略」、境澤邦泰・永瀬恭一（編）『組立　知覚の臨界』組立、二〇一〇年、八三―九四頁。

3　「感性的対象としての数――カント、宮島達男、池田亮司」『現代思想』四七巻一五号、青土社、二〇一九年、一八八―一九六頁。

4　「ハイブリッドな関係性」、金沢21世紀美術館（編）『われらの時代――ポスト工業化社会の美術』金沢21世紀美術館、二〇一五年、一五―一八頁。

5　「ソーシャル・プラクティスをめぐる理論の現状――社会的転回、パフォーマンス的転回」、アート&ソサイエティ研究センターSEA研究会（編）『ソーシャリー・エンゲイジド・アートの系譜・理論・実践――芸術の社会的転回をめぐって』フィルムアート社、二〇一八年、一二一―一五二頁。

6　「ブリオー×ランシエール論争を読む」、筒井宏樹（編）『コンテンポラリー・アート・セオリー』イオスアートブックス、二〇一三年、三六―七〇頁。

7　「生成と消滅の秩序」、淺井裕介・大山エンリコイサム・村山悟郎『生成のヴィジュアル――触発のつらなり』

Takuro Someya Contemporary Art、二〇一四年、一〇―一四頁。

8 「〈生きている〉とはどういうことか――ボリス・グロイスにおける「生の哲学」」『思想』一一二八号、岩波書店、二〇一八年、七二―八六頁。

9 「第一哲学としての美学――グレアム・ハーマンの存在論」『現代思想』四三巻一号、青土社、二〇一四年、一三〇―一四二頁。

あとがき

序論や初出一覧にも記したように、本書は、わたしが二〇一〇年から二〇一九年までのあいだに発表したテクストから九本を選び、それぞれに若干の筆削を施したものである。執筆がそれなりに長い期間にまたがっているため、とくに古いものについては、大幅に書きかえた章もある。

筆削にあたって、時事的なデータは執筆当時のままとしたが、参考文献の日本語訳をはじめとする書誌は二〇二一年一〇月現在のものに改めた。そのため、章によっては註などでわずかにタイムパラドックスが生じてしまっているが、あくまで参照の便宜を考えてのことであるため、読者諸賢にはご海容いただけると幸いである。

過去、わたしが書いてきた論文やエセーはてんでばらばらなものばかりだが、それでも美学という領域に限るなら、本書の中核をなす「崇高」「関係」「生命」というテーマが結果的に浮かびあがるのではないかと思う。「結果的に」というのは、これらはもともとそのような計画ありきで進めてきたものではなく、いくつかの偶発的な事情により形成されたものにすぎないからである。したがって今後のわたしの仕事が、これらにどこまで沿ったものになるかはわからない。かりにそれらのテーマに引き続き取り組んでいくにしても、その内実は大きく異なったものになるはずである。したがって本書は、さしあたりこの一〇年間の「美学」にかかわる仕事を総括した、ひとつの中間報告のようなものである。これまで執筆の機会を与えてくださった方々に感謝したい。

本書は、水声社の村山修亮さんのご提案によって成立したものである。過去に発表したテクストを本にするという構想は以前からあったものの、なにぶん内容が多岐にわたっていたため、これまでなかなか具体的な作業に取りかかれずにいた。おそらく村山さんからのご提案がなければ、わたしは本書に収めたテクストを、このようなかたちでまとめることはできなかったと思う。本書のきっかけをつくり、最後まで導いてくださった村山さんに、厚く御礼を申し上げたい。

また、デザイナーの宇平剛史さんには、本書の装幀と造本設計をお引き受けいただいた。宇平さんとは、本書に収めたテクストを書き継いでいるあいだ、さまざまなところでお仕事をご一緒させていただいた。そうした信頼関係のもと、今回はデザイン面のみならず、編集の過程でもさまざまなアドバイスをいただいた。本書に適切な装いを与えてくださった宇平さんにも、同じく御礼を申し上げたい。

二〇二一年一一月一三日

星野 太

星野 太（ほしのふとし）

一九八三年生まれ。東京大学大学院総合文化研究科博士課程修了。現在、東京大学大学院総合文化研究科准教授。専攻は美学、表象文化論。主な著書に、『崇高の修辞学』（月曜社、二〇一七年）、主な訳書に、ジャン＝フランソワ・リオタール『崇高の分析論――カント『判断力批判』についての講義録』（法政大学出版局、二〇二〇年）などがある。

装幀——宇平剛史

美学のプラクティス

二〇二一年一二月一〇日第一版第一刷印刷　二〇二一年一二月二四日第一版第一刷発行

著者　星野太

発行者　鈴木宏

発行所　株式会社水声社
東京都文京区小石川二―七―五　郵便番号一一二―〇〇〇二
電話〇三―三八一八―六〇四〇　ＦＡＸ〇三―三八一八―二四三七
［編集部］横浜市港北区新吉田東一―七七―一七　郵便番号二二三―〇〇五八
電話〇四五―七一七―五三五六　ＦＡＸ〇四五―七一七―五三五七
郵便振替〇〇一八〇―四―六五四一〇〇
URL：http://www.suiseisha.net

印刷・製本　精興社

ISBN978-4-8010-0615-7

乱丁・落丁本はお取り替えいたします。